这些书里的高贵和纷纷的笑容

儿童文学作家 上海师范大学中文系教授 梅子涵

我们都是这样地把孩子们的阅读放在心上，因为知道他们每一日都在长大。阅读可以把一些优秀和高贵的东西搁在他们的精神里带到很久以后的感觉中和路途上，转瞬即逝的，实在不想错过。

等到长大了，看见他们那么空洞和无聊，没有优雅和趣味，很邋遢的语言和心思，那时我们的遗憾和后悔就都没有意思了。所以我们就开始注意地找，找一些最适合的书和不朽的故事，念了给他们听，让他们自己学会了阅读，快乐，又能渐渐地得到诗意得到良知，在这个中国的城市和乡村都开始了现代化行进的世纪里，这一件事情已经很普遍地被有孩子的父母们，被关怀童年的成年人，写进了计划，写进了日程，书城童书的架子前，就这样越来越人流不息，不息的人流都在找！

很久以前的《伊索寓言》，很久以前的《一千零一夜》，这都是很久很久以来，识字的人，不识字的人，识很多很多字的人，不识很多很多字的人，有非常丰富的知识的杰出的人，没有非常丰富的知识的普通的人，几乎全部听说过、阅读过的故事。她们是真正意义上的人的必读书、必知书了，是一个人有没有最基础的阅读目录，有没有真实的个人阅读史的再平常不过的标志。可是她们给予你的又是最至上的标准和智慧，使人的脑袋有清楚和明亮，有人格也有一生的策略。

在这一二百年的时间里，《格林童话》《安徒生童话》是任何一个完美童年的书桌上不会不放着的书，放在那儿，让你可以喜悦地捧起来，想像的世界里的故事成了你走得进去的“永无岛”，那里只有那个叫彼得·潘的男孩和梦境中才可能到达的地方，可是你现在只要捧起，津津有味，就一步跨入了！好近的，而且不止是玩，还有感动和很多很多的认识，童年因为这样的童话、因为格林和安徒生这样亮灿的名字，本身也就很有了童话的飘逸，而记性中飘逸的童话，是可能让一个人的一辈子都生机勃勃、快活又灵感叠发的。

我们都是这样地把孩子们的阅读放在心上，因为知道他们每一日都在长大。阅读可以把一些优秀和高贵的东西搁在他们的精神里带到很久以后的感觉中和路途上。

那么我们就把这样的一些再过很多很多年仍旧不朽的伟大书籍放到他们孩子们的小手上、小书包里，陪伴白日，也陪伴夜晚，她们就是安徒生写的那个梦神，孩子们长长的人生路上的美妙向往，纷纷都可以实现。

我们也都会纷纷地笑起来。

2003 年 9 月

经典童话系列丛书

目录

content

content

白雪公主

jingdiantonghuaxiliecongshu

经典童话系列丛书

[redacted]
从前，有一位美丽
[redacted]
而善良的王后，生了一
[redacted]
位公主，这个公主有着
[redacted]
雪白柔嫩的皮肤、鲜红
[redacted]
的小嘴。国王给她取
[redacted]
名为“白雪公主”。

[redacted]
王后死后，
[redacted]
国王又娶了个坏
[redacted] [redacted]
心眼的王后，她
[redacted] [redacted]
有一面魔镜，当
[redacted] [redacted]
她照镜子时，就
[redacted] [redacted]
问：“世界上谁
[redacted]
最美？”

[redacted]
魔镜每次都
[redacted]
回答："王后最
[redacted]
美！"白雪公主长
[redacted]
大了，这天王后又
[redacted]
问魔镜谁最美，魔
[redacted]
镜说："白雪公主
[redacted]
比你美一千倍！"

[redacted] jì dù [redacted] shì [redacted]
王后很忌妒，于是，她命一个侍卫，把白雪公
[redacted] shā diào [redacted]
主带到森林去杀掉。好心的侍卫在森林里把白雪
[redacted]
公主放了。

liú [redacted]
留在森林里的白
[redacted] bēi shāng [redacted] dú
雪公主，十分悲伤地独
[redacted]
自走着。忽然发现前
[redacted] dòng [redacted]
面有一栋小木屋，她惊
[redacted] qiāo [redacted]
喜地上前敲门。

[redacted] chén shè [redacted] xī yǐn [redacted]
她推门进去，屋里的陈设立刻吸引了她的目光：
[redacted] fù [redacted] qiǎo líng lóng [redacted]
七副小巧玲珑的餐具、七张可爱
[redacted] yóu yú [redacted]
的小床。由于她太累了，躺在一
[redacted]
张床上就马上睡着了。

[redacted] shàn liáng [redacted] ǎi [redacted]
原来屋主是七个善良的小矮人！小矮
[redacted] zāo
人们听了白雪公主的遭
yù [redacted] biàn rè chéng
遇，都很同情她，便热诚
[redacted]
地留她住下来。

[redacted]

于是，白雪公主就和小矮

[redacted] ér

人们很快乐地生活在一起，而

qiě [redacted]

且每天还帮他们打扫、做饭。

è dú [redacted]

恶毒的王后从魔镜中知道了

[redacted]

白雪公主的下落。

[redacted] dú [redacted] [redacted]
王后动手做了一个毒苹果，化装成一个卖苹果的老

[redacted] [redacted] piàn [redacted]
太婆，来到了森林小木屋前，骗白雪公

[redacted] cháng [redacted]
主先尝以后再买。

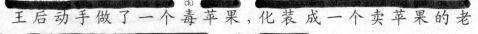

shàn liáng [redacted] yǎo [redacted] jié guǒ [redacted]
善良的白雪公主接过苹果咬了一口，结果她很快
zhòng dú [redacted] bù xǐng [redacted] [redacted] [redacted] [redacted]
中毒倒地，不省人事了。晚上，小矮人们回来，发现倒
[redacted] [redacted]
地的白雪公主，都吓了一大跳。

[redacted] jīng guān cai [redacted] [redacted]
小矮人为她做了水晶棺材安放在森林里。一
[redacted] liè [redacted] guān cai [redacted] [redacted]
位打猎的王子看见了水晶棺材里的白雪公主，立刻
[redacted] [redacted] [redacted] dú [redacted]
爱上了她。他打开水晶棺材，扶她坐起来。毒苹果
[redacted]
从公主嘴里掉出来了。

[redacted] hūn lǐ [redacted] [redacted]
王子向白雪公主求婚。婚礼前夕，坏王后被雷
[redacted] pī [redacted] xù rì dōng shēng lóng zhòng [redacted] [redacted]
电劈死了。旭日东升，隆重的婚礼开始了，白雪公
[redacted] jué de [redacted]
主觉得自己是世界上最幸福的人。

小 红 帽

jingdiantonghuaxiliecongshu

经典童话系列丛书

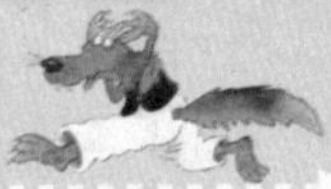

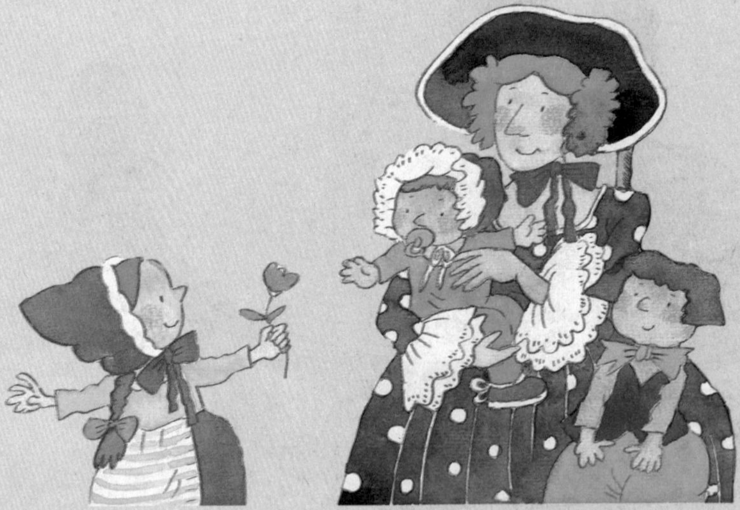

[redacted] [redacted] dài [redacted]

有个小姑娘，因为她总戴着祖母送给她

[redacted] [redacted]

的红帽子，所以人们就叫她“小红帽”。

[redacted]
小红帽又活泼又可
[redacted] [redacted] tè bié dǒng lǐ mào [redacted]
爱，还特别懂礼貌，所
[redacted] lín jū [redacted] kuā [redacted]
以，邻居们都夸她是个
dǒng [redacted]
懂事的孩子。

[redacted] [redacted] tí
今天，小红帽提
[redacted] jiǔ [redacted] dàn gāo [redacted]
着酒和蛋糕去看祖
[redacted] lín [redacted] [redacted]
母，临出门时，妈妈
jiāo dài [redacted] [redacted]
交待说：“路上可别
tān [redacted] shùn [redacted]
贪玩，顺着大路一直
[redacted]
往前走。”

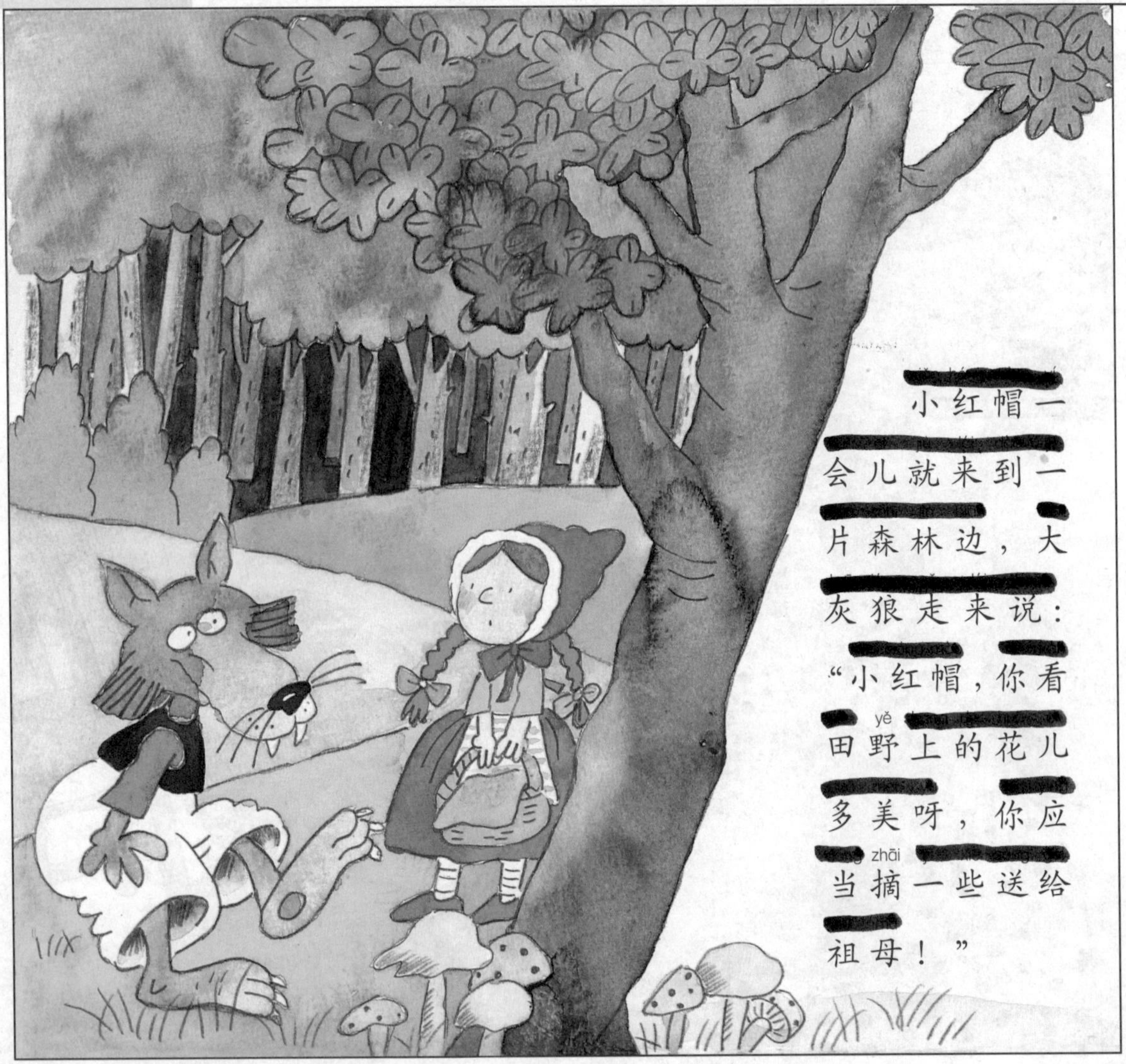

[redacted]
小红帽一
[redacted]
会儿就来到一
[redacted]
片森林边，大
[redacted]
灰狼走来说：
[redacted]
“小红帽，你看
[redacted] yě [redacted]
田野上的花儿
[redacted]
多美呀，你应
[redacted] zhāi [redacted]
当摘一些送给
[redacted]
祖母！”

[redacted] lí [redacted]
小红帽离开大路
[redacted] zhāi [redacted]
去摘花，东摘一朵，
[redacted]
西摘一朵。大灰狼见
小红帽背过身去，张
开大嘴想吃她！

[redacted] wēng wēng [redacted]
一群蜜蜂飞来，嗡嗡叫着：
[redacted] jiē [redacted]
“不许你干坏事！”接着，就往
[redacted]
大灰狼头上脸上乱叮。大灰狼
wǔ [redacted]
捂着头，往村子里逃去。

[redacted]
大灰狼把躺在床上
[redacted]
的老祖母一口吞进肚子，
[redacted] hòu dài [redacted]
然后戴上祖母的帽子，
[redacted]
躺在床上想：等小红帽
[redacted]
来了，我再吃她。

[redacted] [redacted]
小红帽摘了一大把花，高高兴兴地
[redacted] [redacted] [redacted] [redacted]
向祖母家走来。进门就说：“祖母，我给
[redacted] sòng jiǔ hé dàn gāo [redacted] [redacted] zhāi [redacted]
您送酒和蛋糕来了，还摘了一把鲜花哩！”

[redacted] [redacted] tūn [redacted]
大灰狼一下跳起来，把小红帽也一口吞进肚子。
[redacted] zhàng [redacted] [redacted]
它的肚子胀得大大的，躺在床上睡着了。

[redacted] liè [redacted]
一个猎人路过，
[redacted]
看见大灰狼的大肚
[redacted]
子，知道老祖母被它
[redacted]
吃了，说：“你这坏蛋，
[redacted]
又干坏事了！”

[redacted] pā [redacted]

猎人见大灰狼的肚子不停地动着，他趴在大

[redacted]

灰狼的肚子上一听，说：“谢天谢地，老奶奶还活

[redacted]

着，我马上救她出来！”

[redacted] jiǎn [redacted]
猎人找来一把剪刀，剪开了大
[redacted] [redacted]
灰狼的肚皮，老祖母和小红帽从狼
[redacted] [redacted]
肚子里出来了，她们得救了。

[redacted] bān [redacted] sāi
猎人搬来一些石头，塞
[redacted]
进狼肚子里。祖母用针线
féng [redacted]
缝好后说：“快，我们都躲到
[redacted]
房门外去吧！”

[redacted] xǐng [redacted] pěng [redacted]
大灰狼醒了，捧着
[redacted]
大肚子说："老太婆和小
[redacted]
红帽真不好消化，我口
kě [redacted]
渴死了！"它到井边去
[redacted]
找水喝，掉进井里淹死了！

[redacted] jiǔ hé dàn gāo
祖母从篮子里拿出酒和蛋糕，

[redacted] [redacted] [redacted] [redacted] wēi
请猎人吃。猎人说：“小红帽，多危

xiǎn [redacted] [redacted]
险呀！以后可别乱跑了呀！”

睡美人

[redacted]
有个国王和一个王后，他们很
[redacted] jiǔ [redacted]
想有一个孩子。不久，王后果然生
[redacted] jǔ xíng [redacted] shèng
了一个美丽的女儿，国王举行了盛
[redacted] qìng zhù yàn huì
大的庆祝宴会。

[redacted] nèi [redacted] [redacted] yù yán [redacted] [redacted] què
国内有13个预言家，他却
[redacted] [redacted] yù yán jiā [redacted]
只请了12个，预言家都送了礼
[redacted] [redacted] dào dé
物给小公主，分别是：“道德”、
[redacted] cái fù [redacted]
“美丽”、“财富”等。

[redacted] shòu dào yāo qǐng [redacted] [redacted]
没受到邀请的第13个女
yù yán [redacted] gǎn [redacted] [redacted] zǔ zhòu [redacted]
预言家也赶来了，她诅咒说：
[redacted] [redacted] chuō [redacted]
“小公主15岁时要戳到一个
fǎng chuí [redacted] shú shuì [redacted] [redacted]
纺锤上，熟睡100年！”国王
[redacted] [redacted]
下令，把全国的纺车全烧掉！

[redacted]
公主15岁那天，来到
[redacted] tǎ [redacted]
一个塔楼上，一个老太婆
[redacted] fǎng chuí
正在纺线。小公主见纺锤
[redacted]
很有趣，刚用手去摸，便被
chuō shāng [redacted]
戳伤了手指。

[redacted]
公主叫了一
[redacted] biàn hūn dǎo [redacted]
声，便昏倒在地
[redacted] [redacted]
上了。15年前那
[redacted] zǔ zhòu
个可怕的诅咒，
zhōng yú [redacted]
终于应验了。

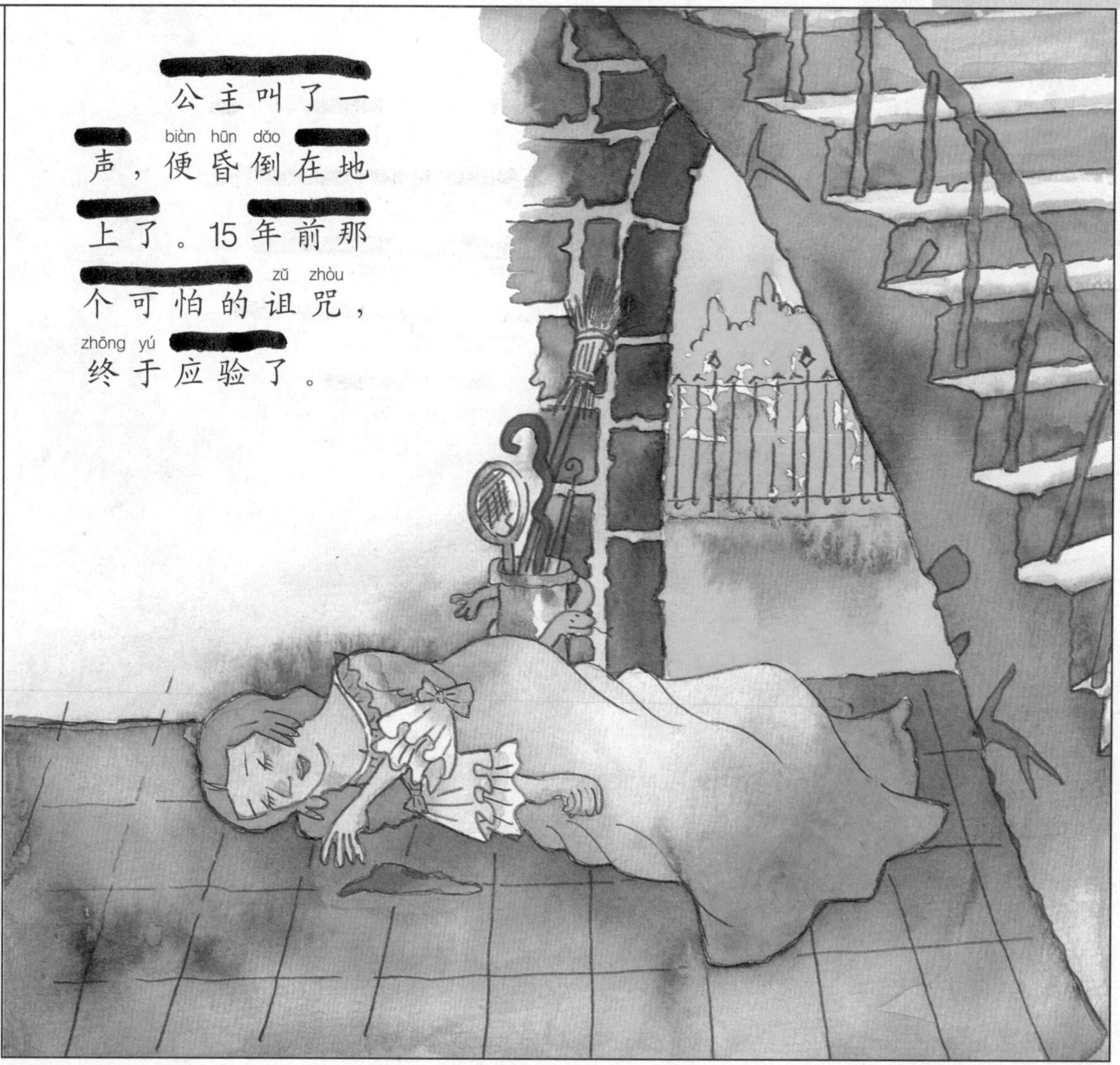

suí [redacted] yù yán [redacted] zhàng [redacted]
随着预言家魔杖的
huī dòng [redacted]
挥动，王宫里的人一下
[redacted] bǎo
子全睡着了。整个城堡
[redacted] suí [redacted]
的活动也随着静了下来，
[redacted] màn [redacted] shuì mián
开始了漫长的百年睡眠。

[redacted]
王宫的周围长满了玫瑰
lí ba [redacted] mó
篱笆，美丽的公主因中了魔
[redacted] chén shuì céng jīng [redacted]
法在王宫里沉睡。曾经有几
[redacted] yǒng gǎn [redacted]
位勇敢的王子
[redacted] jié guǒ
想进去，结果
[redacted] méi gui jīng jí chán
被玫瑰荆棘缠
[redacted]
死了。

[redacted] [redacted]
　　很多年以后，一个王子来
[redacted] lí ba [redacted] [redacted] shì [redacted]
到篱笆外面，想试一
[redacted] [redacted] yǒng gǎn [redacted]
下运气。王子勇敢地
cháo lí ba [redacted] [redacted]
朝篱笆走去，开
[redacted] téng màn
满鲜花的藤蔓
[redacted]
为他让开了一
[redacted]
条路。

[redacted] chéng bǎo [redacted] hù xiāng chán
王子走进城堡，原来周围互相缠
rào [redacted] jīng jí [redacted]
绕在一起的荆棘消失
[redacted] chén shuì [redacted] chéng bǎo
了，沉睡百年的城堡
zhōng yú sū xǐng [redacted]
终于苏醒了。

[redacted] chén shuì [redacted]
王子走进公主沉睡的
[redacted] kàn jiàn [redacted]
房间，看见了世界上最美
[redacted] chén chén [redacted]
丽的公主，正沉沉地睡在
[redacted] rì [redacted] fān [redacted]
那儿呢！日历正翻在100年
[redacted]
前的这一天。

[redacted] wěn [redacted]
王子轻轻吻了一下公主那

jiāo nèn [redacted] liǎn jiá [redacted] chà nà jiān
娇嫩的脸颊，就在这一刹那间，

hūn shuì [redacted]
昏睡百年的公主终于醒来了。

[redacted]
国王和王后也跟着醒来。

[redacted]
不久，王子
[redacted] hūn lǐ lóng
和公主的婚礼隆
zhòng [redacted] jǔ [redacted]
重地举行了。这
[redacted] shèng dà ér zhuāng
是个盛大而庄
yán de hūn lǐ [redacted]
严的婚礼，全国
[redacted] qīng cuì [redacted]
到处响着清脆的
[redacted] qìng zhù chén jì
钟声，庆祝沉寂
[redacted] chéng bǎo [redacted] huī
百年的城堡又恢
fù [redacted] zhāo qì
复了朝气。

卖火柴的小女孩

jingdiantonghuaxiliecongshu

经典童话系列丛书

shèng dàn jié de
圣诞节的
yè wǎn yí gè xiǎo nǚ
夜晚，一个小女
hái zǒu zài fēng xuě mí
孩走在风雪弥
màn de dà jiē shang tā
漫的大街上，她
chuān zhe yì shuāng jiù tuō
穿着一双旧拖
xié lán zi li zhuāng mǎn
鞋，篮子里装满
le huǒ chái
了火柴。

tā yì zhěng tiān méi
她一整天没
yǒu mài chū yì gēn huǒ chái
有卖出一根火柴，
yòu lěng yòu è liǎn sè
又冷又饿，脸色
cāng bái duō duo suō suo
苍白，哆哆嗦嗦
de xiàng qián zǒu zhe
地向前走着。

[redacted] kǎo [redacted]
空气中飘着烤鹅的香
[redacted] [redacted]
味，人们都在高兴地过节。
[redacted] què rěn [redacted] jī è kào [redacted] qiáng
可她却忍着饥饿，靠着墙
[redacted] [redacted]
角，看着别人开心地吃着
[redacted]
可口的食物。

[redacted] xī wàng [redacted] chái zhuàn [redacted]
她希望卖出一些火柴，赚几个铜板给父亲买面
[redacted] dòng jiāng [redacted]
包。她的一双小手冻僵了，唉，哪怕一根火柴的热气
[redacted] chu [redacted]
对她也是有好处的呀！

[redacted] chōu [redacted] gēn [redacted] huà [redacted] zhào [redacted]
她抽出一根火柴，划着了，把手罩在上
[redacted] wēn nuǎn [redacted] lú biān [redacted]
面，多温暖呀，她好像坐在火炉边，刚想伸
[redacted] nuǎn huo [redacted] xī [redacted]
脚去暖和一下，火柴熄灭了！

[redacted] huà [redacted] [redacted]
小姑娘又划着一根火柴，墙上
[redacted] tòu míng [redacted] [redacted] pū [redacted]
忽然被照得透明了，桌上铺着白桌
[redacted] [redacted] bǎi [redacted] kǎo é [redacted]
布，上面摆着冒热气的烤鹅，鹅背上
chā [redacted] chā [redacted]
插着刀叉，朝她走来。

[redacted] xī [redacted] [redacted] dǔ [redacted] hòu [redacted]
这根火柴又熄灭了，她面前仍然是一堵又厚又冷

[redacted] [redacted] huà [redacted] [redacted] shùn [redacted]
的墙。小姑娘又划着一根火柴，她顺着光亮来到一棵

[redacted] [redacted] shèng dàn [redacted]
高大、美丽的圣诞树下。

[redacted]
她把手伸过

[redacted] là zhú [redacted]
去，12支蜡烛和画

[redacted] zhǎ [redacted]
片在向她眨眼睛。

[redacted] xī [redacted]
可火柴又熄灭了，

shèng dàn [redacted] zhú guāng yuè
圣诞树的烛光越

shēng yuè [redacted]
升越高。

[redacted]
“又一个人死去
[redacted] nán nán [redacted]
了！”小姑娘喃喃地
[redacted] jì [redacted]
说。她记得祖母在世
[redacted] luò [redacted]
时说过：“天上落下
[redacted]
一颗星，地上就有一
[redacted] líng hún shēng [redacted]
个灵魂升上天去。”

[redacted] huà [redacted]
小姑娘又划着一根火

[redacted]
柴，祖母在亮光中出现了。

[redacted]
“奶奶，请把我带走吧！”

[redacted]
她生怕祖母离去，急忙把

[redacted] shù [redacted] huà [redacted]
一束火柴都划着了。

[redacted] qiáng liè [redacted] [redacted] xiǎn [redacted] tè bié [redacted]
火柴发出强烈的光，祖母显得特别高大美

[redacted] [redacted] cí xiáng [redacted] [redacted]
丽，她慈祥地笑着，把小姑

[redacted] lǒu [redacted] huái [redacted] [redacted] [redacted]
娘搂在怀里，对她说：“奶奶

[redacted]
带你到一个没有

jī è [redacted] hán lěng [redacted]
饥饿、没有寒冷的

[redacted]
地方去！”

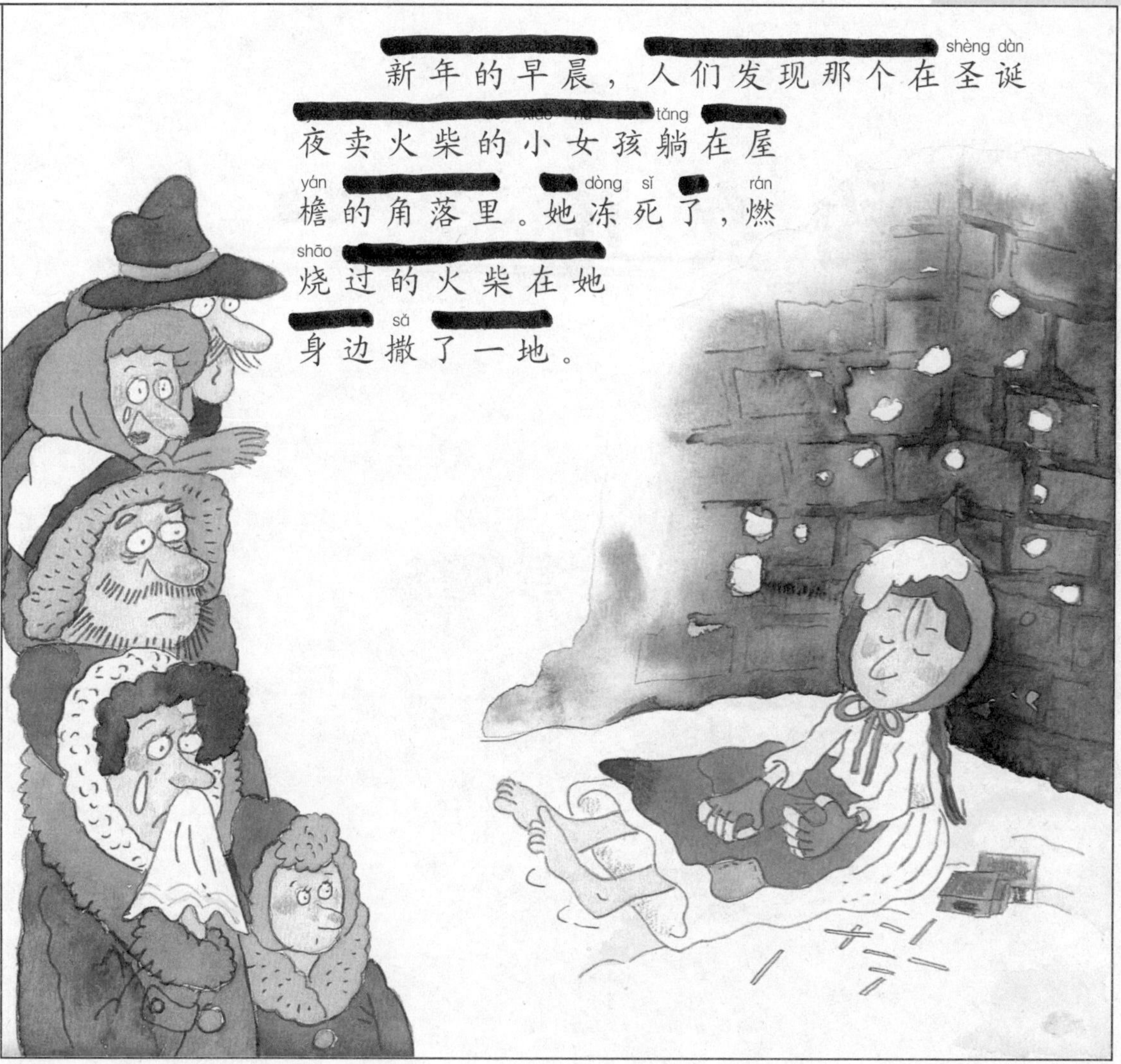

[redacted] [redacted] shèng dàn
新年的早晨，人们发现那个在圣诞
[redacted] tǎng [redacted]
夜卖火柴的小女孩躺在屋
yán [redacted] [redacted] dòng sǐ [redacted] rán
檐的角落里。她冻死了，燃
shāo [redacted]
烧过的火柴在她
[redacted] sǎ [redacted]
身边撒了一地。

海的女儿

[redacted] shēn chù [redacted]
在大海深处，住着六个小人鱼公主，她们长
[redacted] zhī yǒu [redacted] zhī [redacted]
着人的头和身体，只有下肢是一条鱼尾巴。她们
[redacted]
最喜欢听人间的故事。

[redacted] mí dāng [redacted]
最小的公主听得特别的入迷。当她15
[redacted] [redacted] fú [redacted] [redacted]
岁生日的时候，姐姐们让她浮出水面。她
[redacted] chàng yóu [redacted] tàn [redacted] [redacted] [redacted]
在海面畅游，惊叹说："啊，人间真美啊！"

[redacted] sōu [redacted] wéi [redacted] qí bīn
海边停着一艘三桅船，船上彩旗缤
fēn [redacted] yōu yáng [redacted] kuáng fēng jù làng tūn mò [redacted]
纷，歌声悠扬。突然，狂风巨浪吞没了歌
[redacted] wéi chuán [redacted] làng xiān fān [redacted]
声，三桅船被浪掀翻了。

[redacted] yān [redacted] fèn lì [redacted] tuī
王子眼看要被淹死了，小人鱼奋力把他推
[redacted]
到沙滩上。天亮了，一位年轻姑娘经过海滩，把
王子送回王宫。

[redacted] mù [redacted]
小人鱼目送王子远去后，才慢慢地朝海底

[redacted]
游去。从此，小人鱼每天都游到海边来，她是多

[redacted] kě wàng [redacted]
么渴望再和王子相见啊！

[redacted] wū pó [redacted]
一个海底巫婆发现
[redacted] wū
了她，急忙朝她游来。巫
pó [redacted]
婆说："你想去见王子
[redacted]
吗？吃了我的药你就变
[redacted]
成人了，不过，你要把你
tián [redacted]
甜美的声音给我！"

[redacted] wū pó [redacted] yào [redacted] wěi [redacted] jù tòng hūn [redacted]
小人鱼吃了巫婆的药，鱼尾一阵剧痛，昏了
[redacted] wěi ba [redacted] biàn [redacted]
过去。醒来时，她发现自己的鱼尾巴已经变成了
[redacted]
两条腿。

[redacted]
小人鱼从此失去了声音，再也不能说话了。王
[redacted] xún wèn [redacted] chén mò
子在海边发现了她，询问她的来历，小人鱼只能沉默
[redacted] biǎo dá ài liàn zhī qíng
不语，再也无法向王子表达爱恋之情。

[redacted] yíng qǔ
国王要王子去迎娶
lín [redacted] qī [redacted]
邻国的公主为妻，小人
[redacted] péi [redacted]
鱼也陪同前往。船进入
[redacted] lín [redacted] gǎng [redacted]
了邻国的港口，一位公
[redacted]
主出现在王子面前。

[redacted]
她就是在海
[redacted]
滩上救了王子的
[redacted]
姑娘，王子说：
[redacted]
“我一直在寻找
[redacted]
你！”小人鱼的
[redacted] suì [redacted]
心都快碎了，当
[redacted]
时，是自己救了
[redacted]
王子呀！

[redacted] shā [redacted] gū fù [redacted] [redacted]
小人鱼的姐姐要她杀了辜负她的王子，这样
[redacted] chóng xīn [redacted] [redacted]
她就能变回小人鱼，重新回到海里。她看见王子
[redacted] tián mì [redacted] yī wēi [redacted] [redacted] [redacted] zòng shēn [redacted]
和公主正甜蜜的依偎着，不忍心下手。她纵身跳
[redacted]
进大海，化成一片泡沫，消失了！

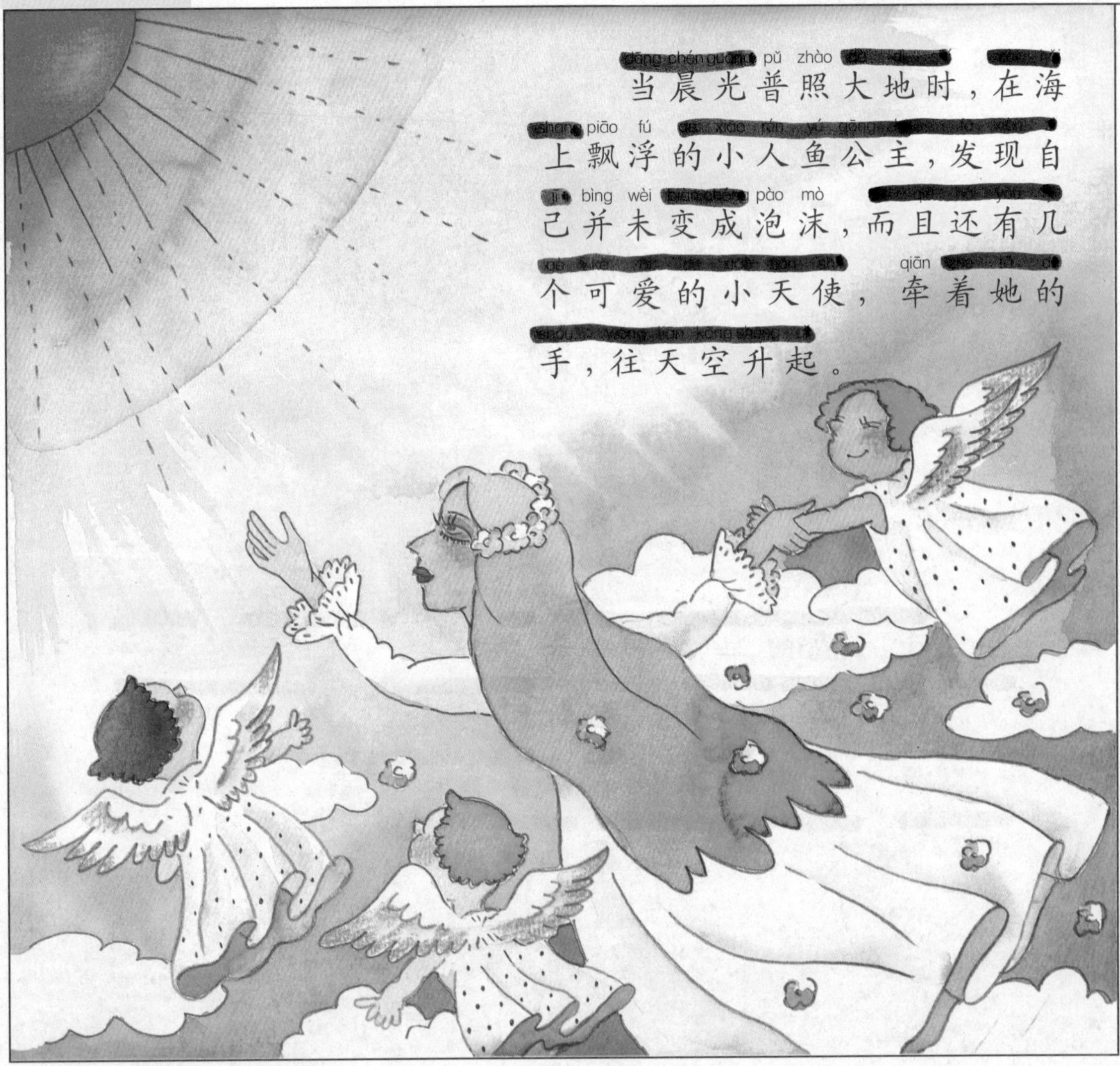

[redacted] pǔ zhào [redacted]
当晨光普照大地时，在海
[redacted] piāo fú [redacted]
上飘浮的小人鱼公主，发现自
[redacted] bìng wèi [redacted] pào mò [redacted]
己并未变成泡沫，而且还有几
[redacted] qiān [redacted]
个可爱的小天使，牵着她的
[redacted]
手，往天空升起。

天鹅湖

[redacted]
　　在北方的一个国家里，王子为了给选
fēi [redacted] zhǔn bèi [redacted] suí [redacted] bàng
妃舞会作准备，便带着随从去打猎。傍
wǎn [redacted] jiàng [redacted]
晚，一群天鹅降落在湖面。

[redacted] [redacted] [redacted]
突然，天鹅变成了一群美丽的少女。王子走到最

[redacted] [redacted] [redacted] jù jué [redacted] è
美的少女面前，她说：“我是一位公主，因为拒绝了恶

mó bā lǔ tè [redacted] hūn [redacted]
魔巴鲁特的求婚，他对我

shī [redacted]
施了魔法……”

bā lǔ tè [redacted]
巴鲁特发现公主同王子
[redacted] xiōng è [redacted]
说话，就变成一只凶恶的猫
[redacted] xí
头鹰向王子袭
jī [redacted] chōu [redacted]
击。王子抽出
lì jiàn [redacted] bā lǔ
利剑，把巴鲁
tè [redacted] bài [redacted]
特打败了。

[redacted] jiě chú [redacted]
王子问公主怎样才能解除她身
[redacted] chú fēi [redacted] zhòng [redacted]
上的魔法，公主说：“除非你当众向
[redacted] hūn [redacted]
我求婚！”王子说：“好的，明晚你
[redacted] xuǎn fēi [redacted]
来参加选妃舞会吧！”

[redacted] tán huà [redacted]
谁知，他们的谈话被巴
lǔ tè tōu [redacted] xuǎn fēi
鲁特偷听了。第二天，选妃
[redacted] bā lǔ tè [redacted]
舞会开始后，巴鲁特让他的
[redacted] mú yàng [redacted]
女儿变成公主的模样，来到
[redacted]
了王子面前。

[redacted] yíng [redacted] xuān bù [redacted]

王子看见假公主，立刻迎上去，宣布和她订婚。

[redacted] bā lǔ tè [redacted] yuán xíng [redacted]

这时，真公主来了，巴鲁特现出原形说：“哈哈，王子，

[redacted] wéi [redacted] shì yán

你无法违背自己的誓言！”

[redacted]
公主见自己
[redacted] luò [redacted]
的希望落空了，
[redacted]
哭着跑回森林里
[redacted] biān zhuī
去了，王子边追
biān hǎn [redacted]
边喊："公主，我
[redacted]
一定要救你！"

[redacted]
王子一心爱着公主，他来到湖边和公主相会，
[redacted] lǔ tè [redacted] níng [redacted]
这时，巴鲁特又出现了，狞笑着说：“哈哈，你们的
[redacted] shí xiàn [redacted]
愿望实现不了啦！”

[redacted] jí [redacted] bá [redacted]
王子气极了，他拔出
duǎn jiàn [redacted] cì [redacted] xiōng [redacted]
短剑向恶魔刺去，胸前的
[redacted]
十字架露了出来，十字架
[redacted] máng cì xiā [redacted]
的光芒刺瞎了恶魔的眼
[redacted] jiàn cì [redacted]
睛。王子一剑刺去，恶魔
cǎn [redacted]
惨叫一声死去了。

[redacted]
公主说：“恶魔死了，我身上的魔
[redacted] xuán yá [redacted]
法再也除不掉了！”说完，向悬崖跳
[redacted]
去，王子一见，也跟着跳了下去。

[redacted]
公主和王子双双落入一片湖水中，一群少
[redacted]
女向他们走过来。原来，他们的爱情感动了天
[redacted]
神，天神救了他们。

[redacted] jǐn jiě chú [redacted]
天神不仅解除了公主身上的魔法，也使其他的

[redacted]
少女脱离了魔法，她们再也不会变成天鹅了。王子

[redacted] yōng bào [redacted] jiē shòu [redacted]
和公主拥抱着，接受少女们的祝福。

经典童话系列丛书

小马过河

jingdiantonghuaxiliecongshu

[redacted] pǐ
绿色树林里，住着一匹
[redacted]
小马，它跑得可快了。

[redacted] fēng [redacted]

有一天，小鸽子给小马送来一封信，

[redacted]

请它到河对岸的大草原上去开会。

[redacted]
小马跑到了小河边，看见河水
[redacted]
哗啦啦、哗啦啦地流着，它不知道
[redacted]
河水有多深，不敢过。

[redacted]
正好大黄牛过来，小马问它：“河
[redacted] shēn [redacted]
水深吗？”大黄牛说：“不深，不深，
[redacted] màn [redacted] dù [redacted]
刚刚漫过我的腿肚子。”

[redacted]

小马还是不敢过河，它又问走过

[redacted]

来的小山羊："河水浅吗？"小山羊说：

[redacted]

"不浅，刚才我过河，河水漫过了我的

bó [redacted] tuì [redacted]

脖子，我只好退回来了。"

[redacted] wàng [redacted] lèng [redacted]
小马望着河水发愣：大黄牛说河水不深，小山羊
[redacted]
说河水不浅，到底谁说的对呢？

[redacted]

松鼠妈妈在树上看着它，

[redacted]

说："小马呀，大

[redacted]

黄牛和小山羊说

[redacted]

得都对，你动脑筋

[redacted]

想想吧。"

[redacted] zhōng yú [redacted]
小马想啊，想啊，终于想明白
[redacted] suǒ yǐ [redacted]
了，大黄牛个大，所以说河水不
[redacted]
深，山羊个小，所以说河水不浅，
[redacted] yīng gāi [redacted]
我应该自己试试。

[redacted] màn [redacted] xī gài [redacted] dù
小马走下河。河水漫过它的膝盖，漫过它的肚
[redacted] yāng [redacted] màn [redacted] jǐ bèi [redacted]
子。到了河中央，河水漫过了它的脊背，在它的脖子
[redacted] fān [redacted] làng [redacted]
上翻起一朵浪花。

[redacted] yáo yáo bó [redacted] shuǎi shuǎi
小马过了河，摇摇脖子，甩甩
[redacted]
尾巴，飞快地朝大草原跑去。

灰姑娘

jingdiantonghuaxiliecongshu

[redacted] qǔ [redacted]
有位小姑娘，妈妈死的早，爸爸又给她娶了一

[redacted] xiōng hěn [redacted]
个后妈，还带着两个凶狠的女儿。

[redacted]
他们每天让小
[redacted]
姑娘不停地干活，
[redacted]
晚上就让
[redacted] zào
她睡在灶
[redacted] nòng
间里，弄
[redacted]
得满身是
[redacted]
灰。她们
[redacted]
就叫她“灰
[redacted]
姑娘”。

[redacted] guó wáng yāo [redacted]
有一天，国王邀请全城的
[redacted] huánggōng [redacted] shèng [redacted]
姑娘参加皇宫里的盛大舞会，
[redacted] tiāo xuǎn [redacted]
让王子挑选他的新娘。

[redacted]

后妈的两个女儿高兴极了，穿上最华丽的衣裳。

[redacted] kěn qiú [redacted] huánggōng [redacted]
灰姑娘恳求后妈让她也去皇宫跳舞。后
[redacted] diū
妈和她的两个女儿哈哈大笑：“就你？！别丢
[redacted] zāng [redacted]
人了，脏东西！”

[redacted] fén [redacted] shāng xīn [redacted]
她们走了。灰姑娘来到妈妈的坟上，伤心地
[redacted] gē [redacted] xián [redacted]
哭起来。一只白鸽子飞过来，衔来了一件漂亮的
[redacted] gǎn [redacted]
衣裳。让她一定在夜里12点之前赶回来。

[redacted]
灰姑娘来到舞会上，美丽
[redacted] zhòng [redacted]
出众，王子一下爱上了她，只请
[redacted]
她一个人跳舞。

[redacted] bēn [redacted]
“呀，快12点了！”灰姑娘急忙奔出
huáng gōng [redacted]
皇宫，飞快地往家跑。一只金舞鞋跑掉
[redacted]
了，她都来不及再穿上。

[redacted] chén [redacted]
王子命令大臣们拿着
[redacted] āi [redacted] āi [redacted]
金舞鞋挨家挨户地去试，
[redacted]
谁能穿上金舞鞋，谁就是
[redacted]
王子的新娘。

[redacted] qiǎo líng lóng [redacted]
金舞鞋小巧玲珑，后妈的两个女儿谁也穿不上。
[redacted] chén [redacted]
大臣叫灰姑娘也试一试，灰姑娘一穿大小正合适。

[redacted] yíng jiē [redacted]
王子来迎接他的新娘，他一眼就认出来了，
[redacted]
这正是晚会上最漂亮的姑娘啊！

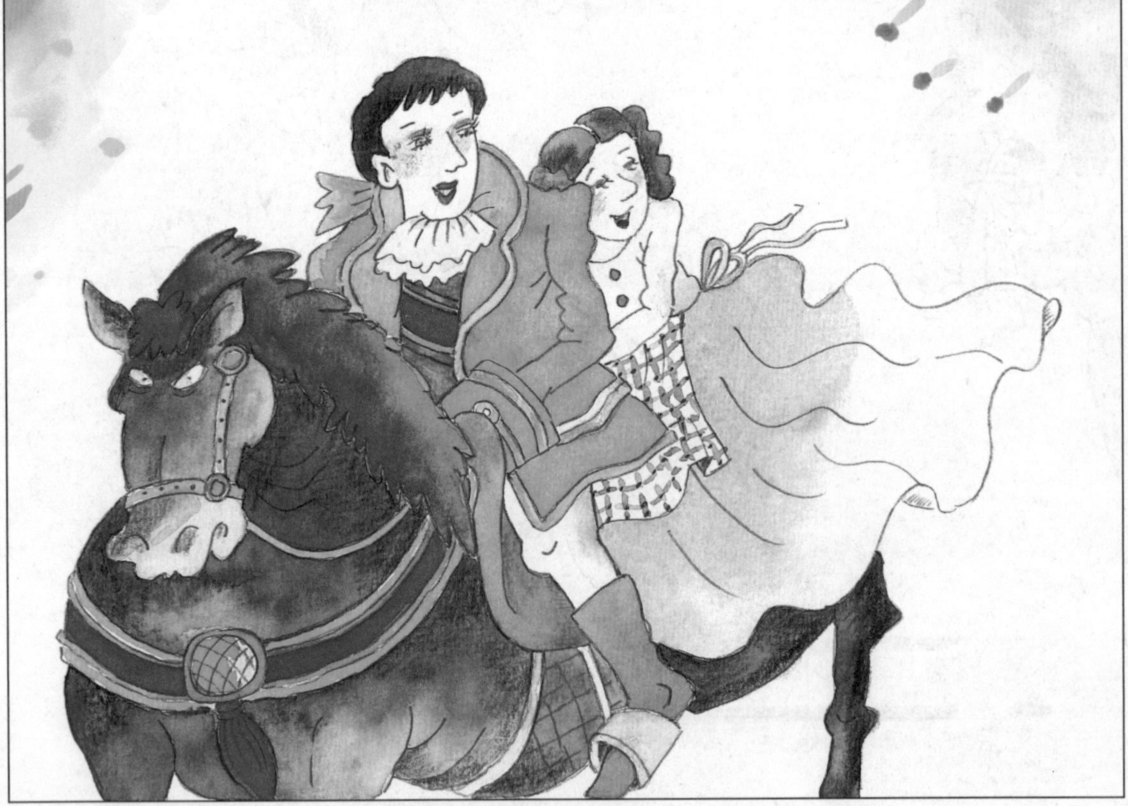

经典童话系列丛书

小猴摘桃

jingdiantonghuaxiliecongshu

[redacted]
猴山上有一
[redacted]
只小猴子，很聪
[redacted]
明，很活泼，就是
[redacted]
老爱丢三落四，什
[redacted]
么事也做不好。

[redacted] tōu tōu liū [redacted]
有一天，它偷偷溜下山来。

[redacted]
它走呀，走呀，走进了一片桃树林。桃树上
jié [redacted]
结满了又红又大的桃子。

[redacted] pá [redacted] táo [redacted] zhāi [redacted]
小猴爬到桃树上，摘了
[redacted]
一只最大最红
[redacted] táo [redacted]
的桃子，心里快
[redacted] jí [redacted]
活极了。

[redacted]
它又高兴
[redacted]
地往前走，走进
[redacted]
了一个菜园子。
[redacted] biān [redacted]
菜园子的边上
[redacted] yù [redacted]
种着玉米。

[redacted] rēng [redacted] diǎn [redacted] jiǎo bāi [redacted]
它扔下桃子，踮起脚，掰下一个大玉米。

lí [redacted]
离开菜园子，它又来到一片
[redacted] guā dì [redacted] gǔn [redacted]
瓜地。瓜地里的大西瓜滚圆的，
[redacted] cháo [redacted]
正朝着小猴笑呢。

[redacted] rēng [redacted] gǎn jǐn [redacted]
小猴扔下玉米，赶紧又去
zhāi [redacted]
摘了两个大西瓜。

[redacted] yě [redacted]
突然，一只野兔从身边跑过
[redacted]
去。小猴高兴得大叫：“我要是抓
[redacted] dài jìn [redacted]
只兔子回去就更带劲了。”

[redacted] diū [redacted] yě [redacted] pū [redacted]
它丢下西瓜，向野兔扑去。那
[redacted] bèng [redacted]
兔子一蹦一跳地在前面跑，小猴一
[redacted] zhuī [redacted]
蹦一跳地在后面追。可兔子跑得
[redacted] yǐng [redacted]
太快了，一会儿就没影儿了。

[redacted]
天又黑了，小猴子只好回到猴山
[redacted]
上，两手空空，它什么也没得到。

折花的孩子

jiāo jiao [redacted] guì [redacted]
娇娇的床头柜上，摆
[redacted] chā [redacted]
着一只花瓶，里面插着一
zhī [redacted] jiāo
枝黄色的小花。娇
jiao tè bié [redacted] zhēng
娇特别喜欢它，一睁
[redacted] dīng [redacted]
眼就盯着它看，
[redacted] gòu
总也看不够。

[redacted] kū [redacted] jiāo jiao [redacted]

可是几天以后，小花枯了，干了。娇娇很难过，

[redacted]

把它扔了，又去摘了一朵粉色的。

[redacted]
娇娇喜欢花，没有花她就不快活，所以她的
[redacted]
花瓶总不能空着。

[redacted]

星期天，娇娇到草地上去玩。草地上开满一丛丛

[redacted] zhé [redacted] biān [redacted]

红色的小花，娇娇真喜欢，折了一枝又一枝，编了一个

[redacted]

美丽的花冠。

[redacted] guān dài [redacted] jué [redacted]

娇娇把花冠戴在头上，觉得自己像花一样好

[redacted]

看，快活地玩呀，跳呀，一会

儿就有点累了。

[redacted] pā [redacted]
娇娇趴在花丛边上睡着了。
[redacted]
她觉得自己真幸福，有那么多花
péi bàn [redacted]
陪伴着她。

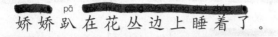

[redacted]
睡着睡着，娇娇脸上的笑容不见了，原来她梦见

[redacted] jǐn jǐn wéi [redacted]
花仙子们都紧紧围着她，对她

dèng [redacted] xiǎn [redacted] fù
瞪着眼睛，显出一副

[redacted]
生气的样子。

[redacted] zhé [redacted] shǐ [redacted]

“就是她，那个爱折花的小姑娘，使我们很多姐

[redacted] kū [redacted]

妹都枯死了。”一个小花仙子指着她说。

[redacted] [redacted] jiě shì
"我喜欢，我是最喜欢花的呀……"娇娇连忙解释。

lìng [redacted] [redacted]

另一个小花仙子说："如果人人都像你这样

[redacted]

喜欢花，那我们的花伙伴们早就死光了。"

[redacted] [redacted] [redacted]
娇娇一下子明白了："我再也不折花了。"一说
[redacted] chòng [redacted]
话，她醒了，睁眼一看，园丁爷爷正冲她笑呢。

老鼠开会

[redacted] qiáng dòng [redacted]
有一群老鼠住在墙洞里。
[redacted]
在它们中间有三只最大的，一
[redacted]
只叫灰耳朵，一只叫白胡
[redacted]
子，另一只呢，
[redacted]
叫黄尾巴。

[redacted] wū [redacted] lì hai [redacted]
这间屋子里，住着一只大花猫，它可厉害了。老

[redacted] zhuō [redacted]
鼠们一不小心，就会被它捉住，已经有好几只老鼠被

[redacted] diào [redacted]
它吃掉了。

[redacted]
一天晚上，三只大老鼠叫
[redacted] shāng liáng [redacted]
大家开会，商量怎么对
fu [redacted]
付大花猫。

[redacted] zán men [redacted]
灰耳朵说：“咱们一起
[redacted] yǎo [redacted] yǎo [redacted]
出去咬它，怎么样，咬死它。”
[redacted] yáo [redacted]
黄尾巴摇头：“那不是白白
[redacted]
送死吗？”

[redacted] mō [redacted]

白胡子摸住胡子想办法。“有了，

zán men [redacted] líng dang shuān [redacted] bó [redacted]

咱们找个铃铛，栓在大花猫脖子上，它

[redacted] líng dang [redacted] zán men [redacted] gǎn jǐn [redacted]

一动，铃铛就响，咱们就赶紧跑，怎么样？”

[redacted] pāi
大伙听了，都拍
[redacted] zhuǎ [redacted]
着脚爪说：“好办法，
[redacted]
好办法，真是好办
法！以后，咱们再也
不用怕它了。”

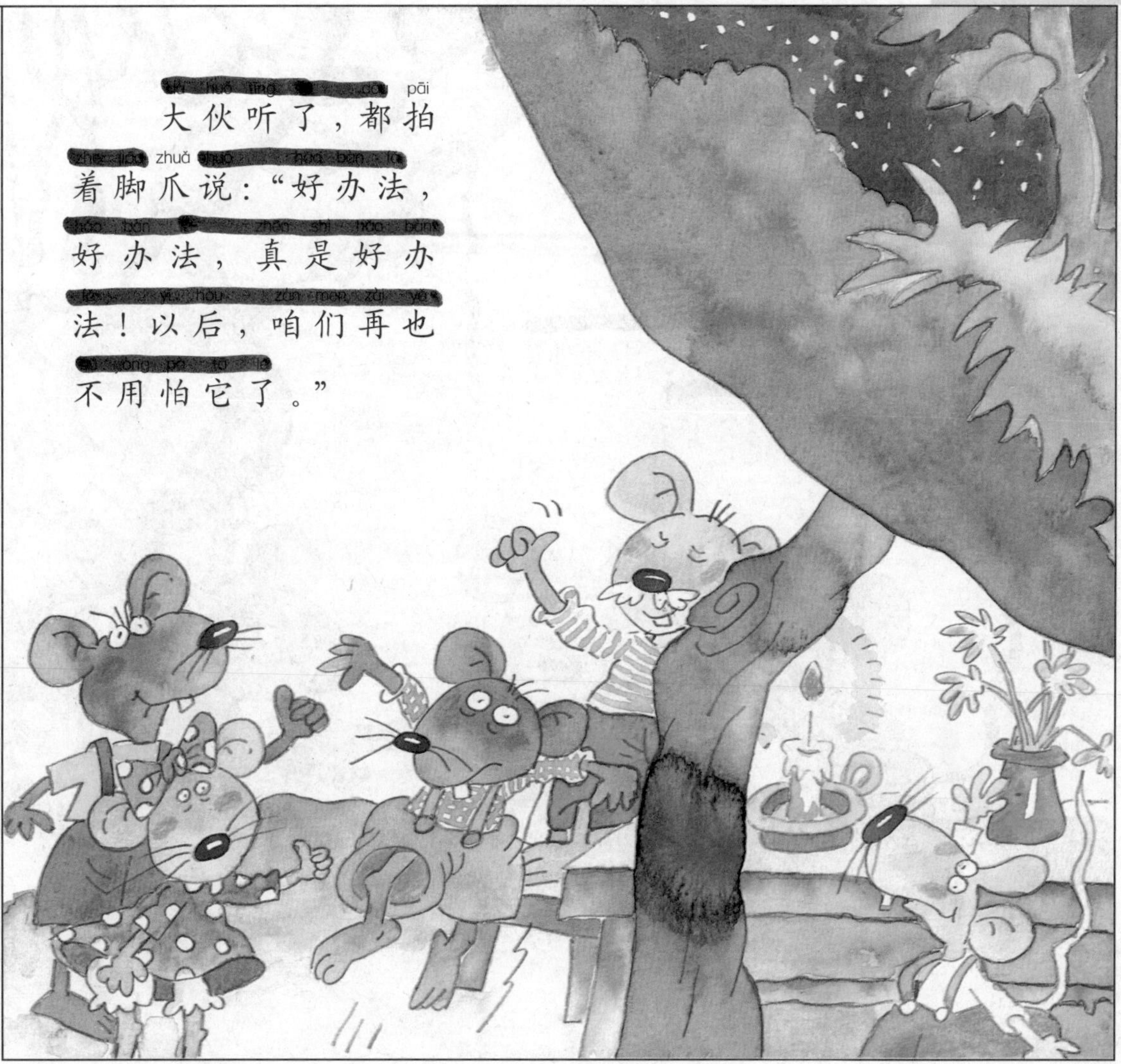

[redacted]
黄尾巴连忙说：
[redacted] gǎn jǐn [redacted]
“白胡子大哥，那得赶紧去
[redacted] líng dang shuān [redacted]
把铃铛栓到大花猫脖子上
[redacted]
吧！”白胡子急了：“我可不能
[redacted] qué zi [redacted]
去，我是瘸子，跑不快。”

[redacted]
黄尾巴又说："灰耳朵弟弟，那
[redacted]
你去吧，你很机灵。"灰耳
[redacted]
朵摇头："我不去，上次我
chà [redacted] zhuō [redacted]
差点被捉住，尾巴尖
[redacted] shāng [redacted] téng [redacted]
上的伤现在还疼呢。"

[redacted] hēng [redacted]
黄尾巴生气了："哼！你也不去，
[redacted] líng dāng shuān [redacted]
它也不去，那怎么把铃铛栓到大花
[redacted]
猫脖子上去呀？"

[redacted] gēn
大家都不作声，一个跟
[redacted] qiāo qiāo [redacted] liū [redacted]
着一个，悄悄地溜走了。

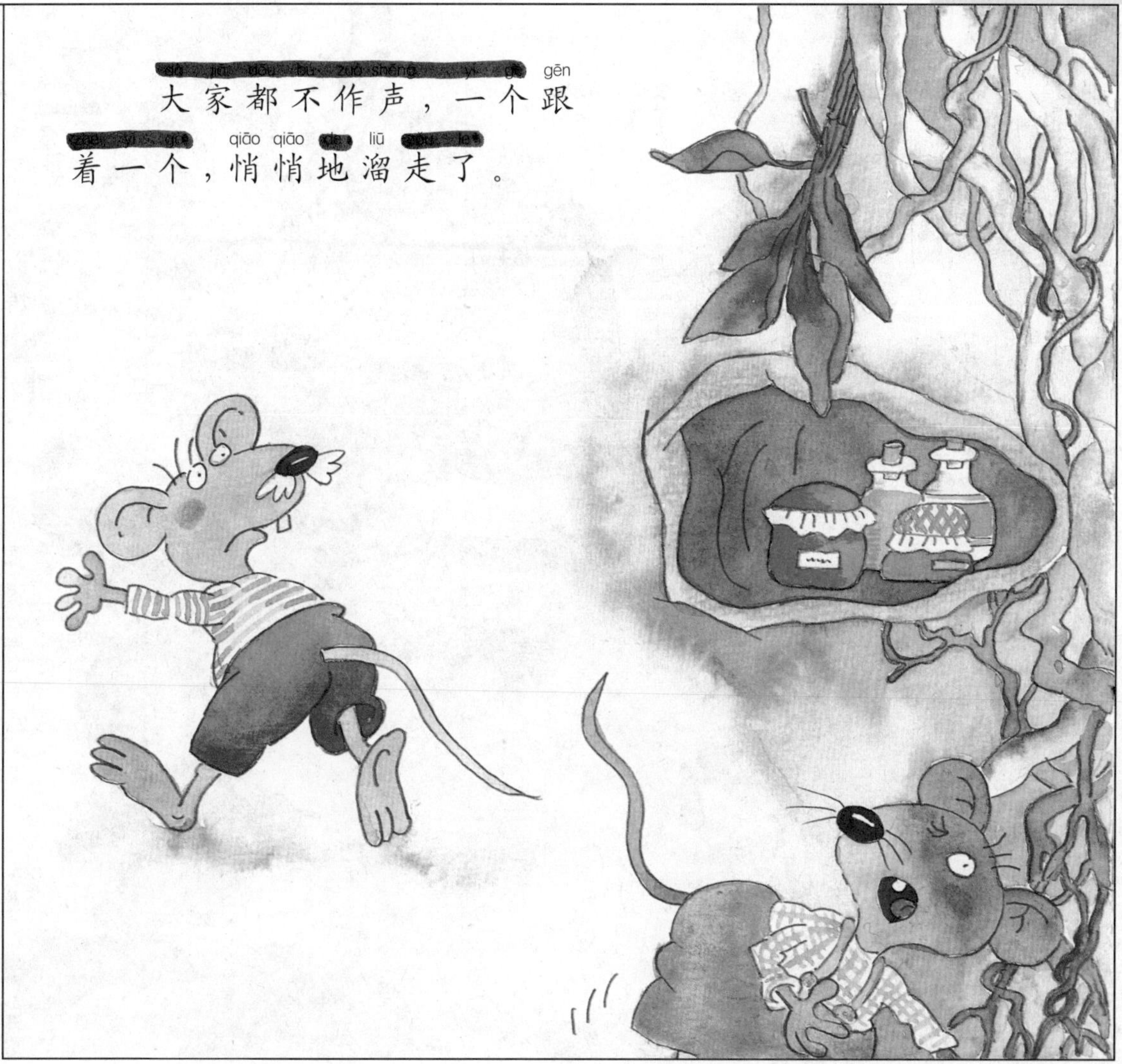

[redacted] tàn [redacted]
黄尾巴呢，叹了一口
[redacted] zuān [redacted]
气，也钻到洞里去了。

龟兔赛跑

jingdiantonghuaxiliecongshu

tù zi yí bèng yí tiào de pǎo de fēi kuài wū guī ne
兔子一蹦一跳的，跑得飞快。乌龟呢，
pá ya pá ya pá de zhēn màn
爬呀爬呀，爬得真慢。

yǒu yì tiān tù zi duì wū guī shuō
有一天，兔子对乌龟说：
zán men sài pǎo hǎo ma wū guī kàn le
“咱们赛跑，好吗？”乌龟看了
kàn tù zi méi lǐ tā
看兔子，没理它。

tù zi shì cún xīn dòu wū guī jiàn wū guī bù lǐ cǎi gèng lái jìn er
兔子是存心逗乌龟，见乌龟不理睬，更来劲儿
le chàng dào wū guī wū guī pá pá yì zǎo chū mén cǎi huā wū guī wū guī
了，唱道：“乌龟乌龟爬爬，一早出门采花，乌龟乌龟
zǒu zǒu bàng wǎn hái zài mén kǒu
走走，傍晚还在门口。”

wū guī shēng qì le yǒu shén me liǎo bu qǐ
乌龟生气了："有什么了不起，
sài jiù sài
赛就赛。"

tù zi shuō nà hǎo kàn shuí xiān pǎo dào nà biān
兔子说："那好，看谁先跑到那边
shān jiǎo de dà shù dǐ xià
山脚的大树底下。"

tù zi pǎo le lǎo yuǎn huí tóu yí kàn xī
兔子跑了老远，回头一看，嘻
xī nà ge bèn wū guī cái pá le
嘻，那个笨乌龟才爬了
nà me yì diǎn diǎn xīn xiǎng wǒ
那么一点点。心想：“我
zài zhè er xiē huì er děng
在这儿歇会儿，等
tā guò lái zài pǎo guān jūn
它过来再跑，冠军
yě shì wǒ de
也是我的。”

tù zi bǎ shēn zi yì wāi yǎn yí bì bù yí
兔子把身子一歪，眼一闭，不一
huì er jìng hū hū shuì zháo le
会儿，竟呼呼睡着了。

nà wū guī pá ya pá ya děng tā pá
那乌龟爬呀，爬呀，等它爬

dào tù zi shēn biān yǐ jīng lèi de bù xíng le
到兔子身边，已经累得不行了，

zhēn xiǎng tíng xià lái xiē huì er
真想停下来歇会儿。

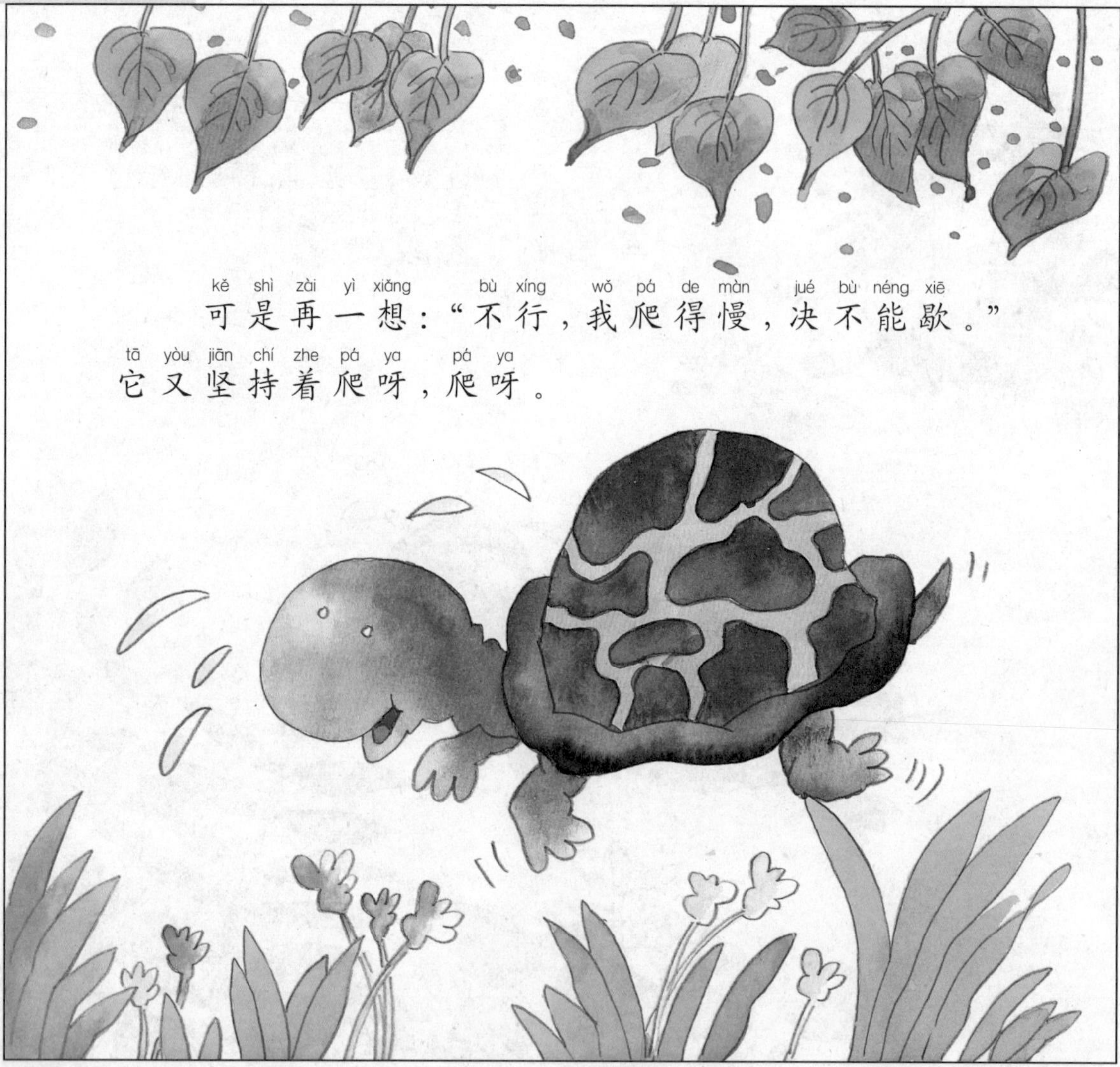

kě shì zài yì xiǎng bù xíng wǒ pá de màn jué bù néng xiē
可是再一想：“不行，我爬得慢，决不能歇。”
tā yòu jiān chí zhe pá ya pá ya
它又坚持着爬呀，爬呀。

tù zi xǐng le wǎng hòu yí kàn wū guī ne zěn me hái méi pá
兔子醒了，往后一看，乌龟呢，怎么还没爬
dào zhè er ya zài wǎng qián yí kàn bù dé liǎo wū guī lí dà shù
到这儿呀？再往前一看，不得了，乌龟离大树
zhǐ yǒu jǐ bù yuǎn le
只有几步远了。

兔子拼命地跑过去，可等它到了大树下，乌龟已经在那儿等它了。

金斧头

jingdiantonghuaxiliecongshu

经典童话系列丛书

cóng qián yǒu gè xiǎo hái jiào chéng shí yīn wèi jiā li qióng zhǐ hǎo
从前，有个小孩叫程实。因为家里穷，只好
dào cái zhǔ jiā li qù gàn huó tā cóng zǎo dào wǎn bù tíng de gàn cái zhǔ
到财主家里去干活。他从早到晚不停地干，财主
hái yào mà tā dǎ tā
还要骂他，打他。

yǒu yì tiān chéng shí shàng shān kǎn chái guò dú mù qiáo de shí
有一天，程实上山砍柴，过独木桥的时
hou bù xiǎo xīn bǎ fǔ zi diào dào hé li qù le wàng zhe yòu
候，不小心，把斧子掉到河里去了。望着又
shēn yòu jí de hé shuǐ tā jí de kū qǐ lái
深又急的河水，他急得哭起来。

nǐ wèi shén me kū a tā miàn qián chū xiàn le yí wèi bái hú zi
“你为什么哭啊？”他面前出现了一位白胡子
lǎo yé ye chéng shí bǎ diū fǔ zi de shì gào su tā lǎo yé ye shuō
老爷爷。程实把丢斧子的事告诉他。老爷爷说：
bié kū le wǒ qù bāng nǐ lāo shàng lái
“别哭了，我去帮你捞上来。”

lǎo yé ye pū tōng yì shēng tiào dào hé li yí
老爷爷“扑通”一声，跳到河里，一
huì er lāo shàng lái yì bǎ jīn fǔ tou tā wèn chéng shí
会儿，捞上来一把金斧头。他问程实：
zhè shì nǐ de ma chéng shí yáo yáo tóu
“这是你的吗？”程实摇摇头。

lǎo yé ye yòu tiào jìn hé li lāo shàng lái yì bǎ
老爷爷又跳进河里，捞上来一把
yín fǔ tou wèn hái zi nǐ diū de shì zhè bǎ ma
银斧头，问：“孩子，你丢的是这把吗？”
chéng shí hái shì yáo yáo tóu
程实还是摇摇头。

dì sān cì lǎo yé ye yòu tiào xià hé qù lāo shàng lái yì bǎ hēi
第三次，老爷爷又跳下河去，捞上来一把黑
hēi de fǔ tou chéng shí gāo xìng de jiē guò lái xiè xiè lǎo yé ye
黑的斧头。程实高兴地接过来，谢谢老爷爷。
lǎo yé ye kuā tā shì gè chéng shí de hái zi
老爷爷夸他是个诚实的孩子。

bèi lǎo yé ye mō guò de fǔ tou biàn de fēng lì jí le yí huì
被老爷爷摸过的斧头变得锋利极了。一会
er chéng shí jiù kǎn mǎn yí dàn chái huí jiā le cái zhǔ jué de qí guài
儿，程实就砍满一担柴回家了。财主觉得奇怪，
chéng shí jiù bǎ diū fǔ tou de shì gào su le tā
程实就把丢斧头的事告诉了他。

dì èr tiān zǎo chen cái zhǔ zhuāngchéng dǎ chái de qióng rén lái dào dú mù
第二天早晨，财主装成打柴的穷人，来到独木
qiáo biān gù yì jiāng fǔ tou rēng jìn hé li rán hòu jiù dà shēng kū qǐ lái
桥边，故意将斧头扔进河里，然后就大声哭起来。

lǎo yé ye yòu lái le cái zhǔ gǎn jǐn qǐng tā bāng máng lǎo yé ye
老爷爷又来了。财主赶紧请他帮忙。老爷爷
tiào xià hé lāo chū le nà bǎ tiě fǔ tou cái zhǔ lián máng yáo yáo tóu bú
跳下河，捞出了那把铁斧头，财主连忙摇摇头：“不
shì zhè bǎ bú shì zhè bǎ
是这把，不是这把。”

lǎo yé ye méi shuō huà yòu lāo le yì bǎ yín fǔ
老爷爷没说话，又捞了一把银斧
tou shàng lái cái zhǔ xiào le máng shuō yín de yě bú
头上来，财主笑了，忙说：“银的也不
cuò zuì hǎo shì jīn de
错，最好是金的。”

lǎo yé ye yòu lāo qǐ yì bǎ jīn fǔ tou cái zhǔ gāo xìng de
老爷爷又捞起一把金斧头，财主高兴地
yì bǎ duó guò lái āi yō bù hǎo tā yì jiǎo cǎi kōng diào
一把夺过来，“哎哟，不好！”他一脚踩空，掉
dào hé li qù le
到河里去了。

青蛙搬家

yì zhī qīng wā hé dà yàn fū fù yì qǐ zhù zài hú biān tā men yì
一只青蛙和大雁夫妇一起住在湖边，它们一
qǐ yóu yǒng xī xì shēng huó de hěn kuài huo
起游泳，嬉戏，生活得很快活。

kě shì tiān zǒng shì bú xià yǔ hú shuǐ màn màn de gān le dà yàn fū
可是，天总是不下雨，湖水慢慢地干了。大雁夫
fù méi bàn fǎ xiǎng bān dào yǒu shuǐ de dì fang qù zhù
妇没办法，想搬到有水的地方去住。

nǐ men zǒu le wǒ kě zěn me bàn ne qīng wā shě bu de
“你们走了，我可怎么办呢？”青蛙舍不得
dà yàn fū fù xiǎng gēn tā men yì qǐ zǒu
大雁夫妇，想跟它们一起走。

dà yàn fā chóu le
大雁发愁了：
nà zěn me bàn ne wǒ men
“那怎么办呢？我们
yǒu chì bǎng huì fēi nǐ zhǐ
有翅膀，会飞，你只
huì bèng bèng tiào tiào gēn bú
会蹦蹦跳跳，跟不
shàng wǒ men ya
上我们呀！”

qīng wā xiǎng chū gè hǎo bàn fǎ　tā zhǎo lái yì gēn xiǎo gùn
青蛙想出个好办法。他找来一根小棍
zi　ràng dà yàn fū fù yǎo zhù liǎng tóu　zì jǐ yǎo zhù zhōng jiān　zhè
子，让大雁夫妇咬住两头，自己咬住中间，这
yàng　dà yàn yì fēi bú jiù jiāng tā dài qǐ lái le ma
样，大雁一飞不就将它带起来了吗？

dà yàn yì tīng lè de gā gā gā jiào
大雁一听，乐得嘎嘎嘎叫。

liǎng zhī dà yàn dài zhe qīng wā yì qǐ fēi qǐ lái
两只大雁带着青蛙一起飞起来。

fēi guò yí gè cūn zi rén men kàn jiàn le shuō dà yàn dài zhe qīng
飞过一个村子，人们看见了，说：“大雁带着青
wā fēi dà yàn zhēn cōng ming xiǎng de hǎo bàn fǎ qīng wā tīng le xīn li tǐng
蛙飞，大雁真聪明，想的好办法。”青蛙听了，心里挺
bù gāo xìng
不高兴。

yòu fēi guò yí gè cūn zi rén
又飞过一个村子，人
men kàn jiàn le yòu hǎn qǐ lái dà
们看见了，又喊起来：“大
yàn zhēn cōng ming xiǎng de hǎo bàn fǎ
雁真聪明，想的好办法。”

青蛙听人们总是夸大雁聪明，气坏了，实在憋不住了，就大声喊起来：“这办法是我想的！”

qīng wā yì zhāng zuǐ jiù cóng tiān shàng diào xià lái le
青蛙一张嘴，就从天上掉下来了。

小蜜蜂玛亚

jingdiantonghuaxiliecongshu

经典童话系列丛书

xiǎo mì fēng mǎ yà chū shēng
小蜜蜂玛亚出生
zài yí gè mì fēng jiā zú de chéng
在一个蜜蜂家族的城
bǎo li tā xiǎng qù wài mian jiàn jiàn
堡里，她想去外面见见
shì miàn kǎ sāng dé lā dà shěn
世面，卡桑德拉大婶
shuō nǐ chū qù hòu yí dìng
说：“你出去后，一定
yào duō jiā xiǎo xīn
要多加小心！”

mǎ yà tí zhe cǎi mì guàn chū fā le dì yī cì jìn rù dà zì rán
玛亚提着采蜜罐出发了。第一次进入大自然，
yí qiè dōu shì nà me xīn xiān nà me yǒu qù mǎ yà rēng diào cǎi mì guàn xiàng
一切都是那么新鲜，那么有趣。玛亚扔掉采蜜罐，向
yuǎn chù fēi qù
远处飞去。

mǎ yà zhǎo dào yì duǒ yòu dà yòu hóng de yù jīn xiāng hā huā li yǒu hěn duō
玛亚找到一朵又大又红的郁金香，哈，花里有很多
yòu xiāng yòu tián de mì zhī tā chī le gè bǎo jué dìng bú zài huí chéng bǎo qù le
又香又甜的蜜汁，她吃了个饱，决定不再回城堡去了。

hēi yè lái lín le
黑夜来临了，
mǎ yà shuì zài yì duǒ dà hóng
玛亚睡在一朵大红
huā li bù yuǎn chù chuán lái
花里，不远处，传来
māo tóu yīng wā wā
猫头鹰“哇——哇
de jiào shēng tā gǎn
——”的叫声，她感
dào le gū dú hài pà
到了孤独、害怕。

tiān liàng le jīn guī zǐ shū shu jiào xǐng
天亮了，金龟子叔叔叫醒
le tā hái sòng gěi tā huā lù guǒ zhī mǎ
了她，还送给她花露果汁。玛
yà chī wán zǎo cān gào bié le jīn guī zǐ shū
亚吃完早餐，告别了金龟子叔
shu fēi dào yí piàn hé yè shang
叔飞到一片荷叶上。

zhè shì wǒ de dì pán
“这是我的地盘，
kuài zǒu kāi yì zhī cāng ying
快走开！”一只苍蝇
xiàng mǎ yà hǒu dào hái méi děng
向玛亚吼道。还没等
mǎ yà huí dá yì zhī dà qīng tíng
玛亚回答，一只大蜻蜓
fēi lái zhuā zhù cāng ying bǎ tā
飞来，抓住苍蝇，把它
dàng chéng le zǎo cān
当成了早餐。

jiù mìng ya mǎ yà cháo zhe
“救命呀！”玛亚朝着
hǎn jiù mìng de dì fang fēi qù yuán lái
喊救命的地方飞去，原来
shì yì zhī jiǎ qiào chóng yǎng miàn cháo tiān
是一只甲壳虫仰面朝天，
fān bú guò shēn lái le mǎ yà bǎ yí
翻不过身来了。玛亚把一
piàn cǎo yè dì gěi tā tā dé jiù le
片草叶递给它，它得救了。

mǎ yà wǎng sēn
玛亚往森
lín li fēi qù yì
林里飞去，一
tóu zhuàng zài zhī zhū wǎng
头撞在蜘蛛网
shang huáng máo zhī zhū
上，黄毛蜘蛛
pá guò lái yào chī
爬过来要吃
tā duō kuī jiǎ qiào
她，多亏甲壳
chóng fēi guò lái sī
虫飞过来，撕
pò zhī zhū wǎng jiù
破蜘蛛网，救
le mǎ yà
了玛亚。

mǎ yà yòu bèi yì zhī shān fēng zhuā zhù le shān fēng bǎ tā
玛亚又被一只山蜂抓住了，山蜂把她
zhuā jìn chéng bǎo rēng jìn le láo fáng zhè li yǒu hěn duō kūn chóng
抓进城堡，扔进了牢房。这里有很多昆虫
de cán hái zhēn kě pà
的残骸，真可怕！

墙缝里传来山蜂大王的声音：“听着，明天一早我们去进攻蜜蜂城堡！”玛亚觉得事情很紧急，她连夜逃出了山蜂城堡。

chèn hēi yè　mǎ yà bú gù wēi
趁黑夜，玛亚不顾危
xiǎn　gǎn huí chéng bǎo xiàng nǚ wáng bào gào
险，赶回城堡向女王报告。
nǚ wáng xià lìng zhào jí quán tǐ jūn duì　qiāo
女王下令召集全体军队，悄
qiāo de zài dí rén bì jīng de lù shang shè
悄地在敌人必经的路上设
xià le fú jī quān
下了伏击圈。

不一会儿，山蜂们来了。女王一声令下，蜜蜂们猛冲猛杀，杀得山蜂们措手不及，很快就把来犯的敌人全部消灭了。

女王说：“玛亚这次立了大功啊！”

小羊和狼

yì zhī xiǎo yáng zài hé biān hē shuǐ láng zǒu guò lái jiào dào hǎo wa nǐ gǎn

一只小羊在河边喝水，狼走过来叫道：“好哇！你敢

hē wǒ de shuǐ nǐ děng

喝我的水！你等

zhe jīn tiān wǎn shang wǒ yào

着，今天晚上我要

lái chī le nǐ

来吃了你！”

xiǎo yáng huí dào jiā zuò zài mén kǒu kū xiǎo māo zǒu guò lái wèn tā wèi
小羊回到家，坐在门口哭。小猫走过来，问它为
shén me kū xiǎo yáng shuō láng jīn tiān wǎn shang yào chī wǒ xiǎo māo shuō bú
什么哭，小羊说：“狼今天晚上要吃我。”小猫说：“不
yào pà wǎn shang wǒ lái bāng zhù nǐ
要怕，晚上我来帮助你。”

xiǎo yáng hái shì shāng xīn de kū
小羊还是伤心地哭。
xiǎo gǒu zǒu guò lái wèn tā wèi shén me
小狗走过来，问它为什么
kū xiǎo yáng shuō láng jīn tiān wǎn shang
哭，小羊说：“狼今天晚上
yào chī wǒ xiǎo gǒu shuō méi guān
要吃我。”小狗说：“没关
xi wǎn shang wǒ lái bāng zhù nǐ
系，晚上我来帮助你。”

一匹马走过来，看见小羊的脸上挂着泪珠，就问："你怎么了？"小羊说："狼今天晚上要来吃我。"小马说："别害怕，晚上我来帮助你。"

yì zhī dà xiàng zǒu guò lái tā yǐ jīng zhī dao le xiǎo yáng de shāng xīn shì
一只大象走过来，它已经知道了小羊的伤心事，

shuō wǎn shang wǒ yě lái bāng zhù nǐ
说：“晚上我也来帮助你。”

tiān hēi le xiǎo māo xiǎo gǒu xiǎo mǎ
天黑了，小猫、小狗、小马
hé dà xiàng dōu lái le tā men xiǎng chū le yí
和大象都来了。它们想出了一
gè hǎo bàn fǎ jiù fēn bié cáng qǐ lái le
个好办法，就分别藏起来了。

bù yí huì er láng lái le kàn jiàn wū li hēi dòng dòng de jiù
不一会儿，狼来了。看见屋里黑洞洞的，就
qù huǒ lú nà er diǎn huǒ xiǎo māo tiào qǐ lái duì zhǔn lǎo láng de liǎn
去火炉那儿点火。小猫跳起来，对准老狼的脸
jiù shì yì zhuǎ zi lǎo láng xià
就是一爪子，老狼吓
de niǔ tóu jiù pǎo
得扭头就跑。

xiǎo gǒu cóng mén hòu cuàn chū lái kàn zhǔn lǎo láng de liǎn hěn hěn yǎo le yì
小狗从门后窜出来，看准老狼的脸狠狠咬了一
kǒu lǎo láng téng de ō ō jiào jí máng táo pǎo
口，老狼疼得“噢噢”叫，急忙逃跑。

xiǎo mǎ cóng fáng zi hòu mian pǎo chū lái tái
小马从房子后面跑出来，抬
tuǐ yì tī bǎ lǎo láng tī dào dà shù xià xiǎo
腿一踢，把老狼踢到大树下。小
yáng cóng shù hòu mian chōng chū lái yòng jiān jiān de jiǎo
羊从树后面冲出来，用尖尖的角
dǐng le lǎo láng yí xià
顶了老狼一下。

lǎo láng shuāi zài dì shang zhàn bú qǐ lái le dà xiàng zǒu guò lái yòng bí
老狼摔在地上站不起来了。大象走过来，用鼻
zi juǎn qǐ lǎo láng hū de yì shēng bǎ tā rēng dào hé li yān sǐ le
子卷起老狼，“呼”的一声，把它扔到河里淹死了。

经典童话系列丛书

怕羞的小黄莺

jingdiantonghuaxiliecongshu

sēn lín li zhù zhe yì zhī xiǎo huáng yīng chàng qǐ gē lái kě hǎo tīng le

森林里住着一只小黄莺，唱起歌来可好听了，

kě jiù shì hěn hài xiū chàng gē de shí hou zǒng shì dī zhe tóu

可就是很害羞，唱歌的时候，总是低着头。

chūn tiān lái le sēn lín li de dòng wù men yào kāi lián huān huì dà
春天来了，森林里的动物们要开联欢会，大
jiā qǐng xiǎo huáng yīng chàng gē xiǎo huáng yīng jué de hěn nán wéi qíng
家请小黄莺唱歌，小黄莺觉得很难为情。

lián huān huì shang xiǎo huáng yīng tè bié
联欢会上，小黄莺特别
jǐn zhāng zhí dào zuì hòu yí gè jié mù
紧张。直到最后一个节目，
tā cái huāng huāng zhāng zhāng de tiào shàng tái
它才慌慌张张地跳上台，
shēng yīn fā dǒu cái chàng le jǐ jù jiù
声音发抖，才唱了几句，就
chàng bú xià qù le
唱不下去了。

xiǎo huáng yīng xīn li nán guò jí
小黄莺心里难过极
le kě shì wán pí de xiǎo bā gē
了。可是顽皮的小八哥
hái shì xiào hua tā xiǎo huáng yīng
还是笑话它："小黄莺，
dǎn zi xiǎo chàng gē chàng yí bàn
胆子小，唱歌唱一半，
zǒng shì chàng bù hǎo
总是唱不好。"

zài huí jiā de lù shang xiǎo huáng yīng yòu pèng jiàn le xiǎo xǐ què xiǎo xǐ què zhā zhā
在回家的路上，小黄莺又碰见了小喜鹊。小喜鹊喳喳
de xiào yě xiū tā xiǎo huáng yīng zhēn hài sào chàng gē chàng yí bàn zǒng shì chàng bù hǎo
地笑，也羞它：“小黄莺，真害臊，唱歌唱一半，总是唱不好。”

xiǎo huáng yīng huí dào jiā duì mā
小黄莺回到家，对妈
ma shuō wǒ yǐ hòu zài yě bú chàng
妈说：“我以后再也不唱
gē le mā ma shuō bié xiè qì
歌了。”妈妈说：“别泄气，
yǐ hòu duō chàng gěi dà jiā tīng dǎn zi
以后多唱给大家听，胆子
jiù huì màn màn dà qǐ lái
就会慢慢大起来。”

xiǎo huáng yīng tīng mā ma de huà
小黄莺听妈妈的话，
tiān tiān liàn xí chàng gē
天天练习唱歌。

yǒu yì huí xiǎo huáng yīng fēi shàng shān gāng kàn jiàn xǔ duō bā gē jiù zài
有一回，小黄莺飞上山岗，看见许多八哥，就在
tā men miàn qián chàng qǐ gē lái nà zhī wán pí de
它们面前唱起歌来。那只顽皮的
bā gē shuō dǎn xiǎo guǐ bié chàng le xiǎo huáng
八哥说：“胆小鬼，别唱了。”小黄
yīng bù lǐ tā yuè chàngshēng yuè dà
莺不理它，越唱声越大。

yòu yǒu yì huí xiǎo huáng yīng fēi chū sēn lín kàn jiàn xǔ duō xǐ què nà
又有一回，小黄莺飞出森林，看见许多喜鹊，那
zhī duō zuǐ de xǐ què shuō nǐ lái le dǎn xiǎo de gē chàng jiā xiǎo huáng yīng
只多嘴的喜鹊说：“你来了，胆小的歌唱家。”小黄莺
fàng kāi hóu lóng chàng qǐ lái
放开喉咙唱起来。

xiǎo huáng yīng yòu fēi dào qīng wā hé shān què men miàn qián qù
小黄莺又飞到青蛙和山雀们面前去
chàng gē qīng wā hé shān què tīng le dōu chēng zàn tā dǎn
唱歌。青蛙和山雀听了，都称赞它：“胆
zi dà le gē chàng de gèng hǎo tīng le
子大了，歌唱得更好听了。”

xià tiān dào le sēn lín li yòu
夏天到了，森林里又
jǔ xíng lián huān huì xiǎo huáng yīng dì yī
举行联欢会。小黄莺第一
gè dēng tái biǎo yǎn tā yì diǎn er dōu
个登台表演，它一点儿都
bú hài pà gē chàng de hǎo jí le dà
不害怕，歌唱得好极了，大
jiā yì qǐ wèi tā gǔ zhǎng
家一起为它鼓掌。

丑小鸭

jingdiantonghuaxiliecongshu

经典童话系列丛书

yě yā mā ma fū le yì qún xiǎo yā zi huánghuáng de róng máo fēi cháng
野鸭妈妈孵了一群小鸭子。黄黄的绒毛，非常
piào liang kě yǒu yì zhī què huī huī de tǐng nán kàn dà jiā dōu bú ài lǐ tā
漂亮。可有一只却灰灰的，挺难看，大家都不爱理它。

chǒu xiǎo yā zì jǐ gū líng líng de yǒu
丑小鸭自己孤零零的。有
yì tiān tā lái dào hú biān yì qún yě yā
一天，它来到湖边，一群野鸭
kàn jiàn tā qī zuǐ bā shé de shuō nǎ lái
看见它，七嘴八舌地说：“哪来
de chǒu dōng xi gǔn yuǎn diǎn
的丑东西，滚远点！”

zhèng zài zhè shí hou liè rén de qiāng xiǎng le liè
正在这时候，猎人的枪响了。猎
gǒu chōng guò lái diāo zǒu le yì zhī dǎo zài dì shang de yě
狗冲过来叼走了一只倒在地上的野
yā chǒu xiǎo yā tàn le kǒu qì āi liè gǒu kàn dōu
鸭。丑小鸭叹了口气：“唉，猎狗看都
méi kàn wǒ yì yǎn
没看我一眼。”

tiān hēi le chǒu xiǎo yā pǎo jìn yí wèi lǎo nǎi nai jiā lǎo nǎi nai shōu
天黑了，丑小鸭跑进一位老奶奶家。老奶奶收
liú le tā ràng tā shēng dàn kě tā tài xiǎo bú huì shēng dàn ya lǎo nǎi nai
留了它，让它生蛋，可它太小，不会生蛋呀！老奶奶
jiā de mǔ jī jiù mà tā méi yòng de jiā huo
家的母鸡就骂它：“没用的家伙！”

chǒu xiǎo yā zhǐ hǎo
丑小鸭只好
lí kāi lǎo nǎi nai jiā
离开老奶奶家，
yòu huí dào hú miàn shang
又回到湖面上。
tā mò mò de liú zhe yǎn
它默默地流着眼
lèi wǒ zhǎng de chǒu
泪：“我长得丑，
kě cóng méi shāng hài guò shuí
可从没伤害过谁
ya wèi shén me shuí dōu
呀，为什么谁都
bù xǐ huan wǒ ne
不喜欢我呢？”

qiū tiān lái le shù yè zi yí piàn yí piàn de luò guāng le
秋天来了，树叶子一片一片地落光了。
chǒu xiǎo yā zhēn lěng a
丑小鸭真冷啊！

dōng tiān lái le běi
冬天来了，北
fēng hū hū de chuī dà xuě
风呼呼地吹，大雪
fēn fēn piāo luò chǒu xiǎo yā
纷纷飘落，丑小鸭
bèi dòng jiāng le yí wèi hǎo
被冻僵了。一位好
xīn de nóng fū kě lián tā
心的农夫可怜它，
dài tā huí jiā
带它回家。

kě shì nóng fū de lǎo po
可是，农夫的老婆
tǎo yàn tā chángcháng zhuī zhe dǎ tā
讨厌它，常常追着打它。
tā zhǐ hǎo yòu táo huí bīng tiān xuě
它只好又逃回冰天雪
dì jiān nán de shēng huó
地，艰难地生活。

chūn tiān lái le hú miàn shang fēi lái le jǐ zhī
春天来了，湖面上飞来了几只
piào liang de tiān é yōu yǎ de shū lǐ zhe yǔ máo
漂亮的天鹅，优雅地梳理着羽毛。
chǒu xiǎo yā xiǎng tā men kě zhēn měi ya wǒ yào shì
丑小鸭想：“它们可真美呀，我要是
xiàng tā men yí yàng duō hǎo ya
像它们一样多好呀！”

chǒu xiǎo yā qíng bù
丑小鸭情不
zì jīn de xiàng tā men yóu
自禁地向它们游
qù tū rán tā kàn jiàn
去。突然，它看见
zì jǐ de dào yǐng ā
自己的倒影：“啊！
wǒ bú shì chǒu xiǎo yā wǒ
我不是丑小鸭，我
shì yì zhī měi lì de tiān
是一只美丽的天
é ya
鹅呀！”

pū lēng pū lēng chì bǎng
扑棱扑棱翅膀，
tā fēi qǐ lái le tā tīng
它飞起来了。它听
jiàn rén men dōu zài zàn měi tā
见人们都在赞美它。
kě shì shuí yě bù zhī dao
可是，谁也不知道，
tā jiù shì yuán lái nà zhī chǒu
它就是原来那只丑
xiǎo yā ya
小鸭呀！

聪明的乌龟

yì zhī hú li dù zi è de
一只狐狸，肚子饿得
gū gū jiào tā kàn jiàn yì zhī qīng wā
咕咕叫。它看见一只青蛙
zhèng zài zhuō chóng zi jiù xiǎng ná zhè zhī
正在捉虫子，就想拿这只
qīng wā dāng diǎn xin
青蛙当点心。

hú li qiāo qiāo de pǎo guò
狐狸悄悄地跑过
qù gāng yào shēn chū zhuǎ zi
去，刚要伸出爪子，
āi yō shuí yǎo wǒ de wěi ba
“哎哟，谁咬我的尾巴
le qīng wā tīng jiàn hú li
了！”青蛙听见狐狸
jiào pū tōng yì shēng tiào dào
叫，“扑通”一声，跳到
chí táng li qù le
池塘里去了。

hú li méi chī dào qīng wā, qì huài le, huí guò tóu yí kàn, yuán lái shì yì zhī wū guī ya, nà jiù chī wū guī ba。

狐狸没吃到青蛙，气坏了，回过头一看，原来是一只乌龟呀，那就吃乌龟吧。

wū guī kě cōng ming le quán shēn yì suō dōu suō jìn ké li qù le
乌龟可聪明了，全身一缩，都缩进壳里去了。
hú li gē bēng gē bēng yǎo de yá dōu suān le hái shì yǎo bú dòng
狐狸咯嘣、咯嘣咬得牙都酸了，还是咬不动。

hú li shuō wǒ yào bǎ nǐ
狐狸说："我要把你
rēng dào tiān shàng qù diào xià lái pā dā
扔到天上去，掉下来啪嗒
yí xià shuāi sǐ nǐ wū guī shuō
一下摔死你。"乌龟说：
xiè xie nǐ wǒ zhèng xiǎng dào tiān shàng
"谢谢你，我正想到天上
qù wán ne
去玩呢！"

hú li shuō wǒ yào bǎ nǐ rēng dào
狐狸说：“我要把你扔到
huǒ pén li hū lā yí xià shāo sǐ nǐ
火盆里，呼啦一下烧死你。”
wū guī shuō nǐ rēng ba wǒ shēn shang fā
乌龟说：“你扔吧，我身上发
lěng zhèng xiǎng kǎo huǒ ne
冷，正想烤火呢。”

hú li shuō wǒ yào bǎ nǐ rēng dào chí táng li pū tōng yí xià
狐狸说："我要把你扔到池塘里，扑通一下

yān sǐ nǐ
淹死你。"

wū guī tīng hú li zhè me yì
乌龟听狐狸这么一

shuō wa de yì shēng kū qǐ lái
说，“哇”的一声哭起来：

bié bié qiān wàn bié bǎ wǒ rēng
“别，别，千万别把我扔

jìn chí táng li wǒ pà shuǐ diào zài
进池塘里，我怕水，掉在

shuǐ li jiù méi mìng le
水里就没命了。”

hú li cái bù lǐ zhè yí tào ne zhuā qǐ
狐狸才不理这一套呢，抓起
wū guī jiù bǎ tā rēng dào shuǐ li qù le
乌龟，就把它扔到水里去了。

méi xiǎng dào wū guī
没想到，乌龟
xià le shuǐ jiù shēn chū sì
下了水，就伸出四
tiáo tuǐ lái huá ya huá
条腿来，划呀，划
ya yì zhí huá dào qīng wā
呀，一直划到青蛙
shēn biān liǎng gè hǎo péng you
身边，两个好朋友
yì qí xiào qǐ lái
一齐笑起来。

hú li qì hūn le xiàng qīng wā hé wū guī pū qù pū tōng yì shēng
狐狸气昏了，向青蛙和乌龟扑去，扑通一声，
diào dào chí táng li zhí hǎn jiù mìng
掉到池塘里直喊“救命”。

小羊过桥

jingdiantonghuaxiliecongshu

yǒu yì zhī xiǎo yáng
有一只小羊，
shēn shang zhǎng zhe bái máo
身上长着白毛，
tóu shang yě yǒu liǎng zhī xiǎo
头上也有两只小
xiǎo de jiǎo dà jiā jiào
小的角，大家叫
tā xiǎo bái yáng
它小白羊。

hái yǒu yì zhī xiǎo yáng shēn
还有一只小羊，身
shangzhǎng zhe hēi máo tóu shang yě
上长着黑毛，头上也
yǒu liǎng zhī xiǎo xiǎo de jiǎo dà jiā
有两只小小的角，大家
jiào tā xiǎo hēi yáng
叫它小黑羊。

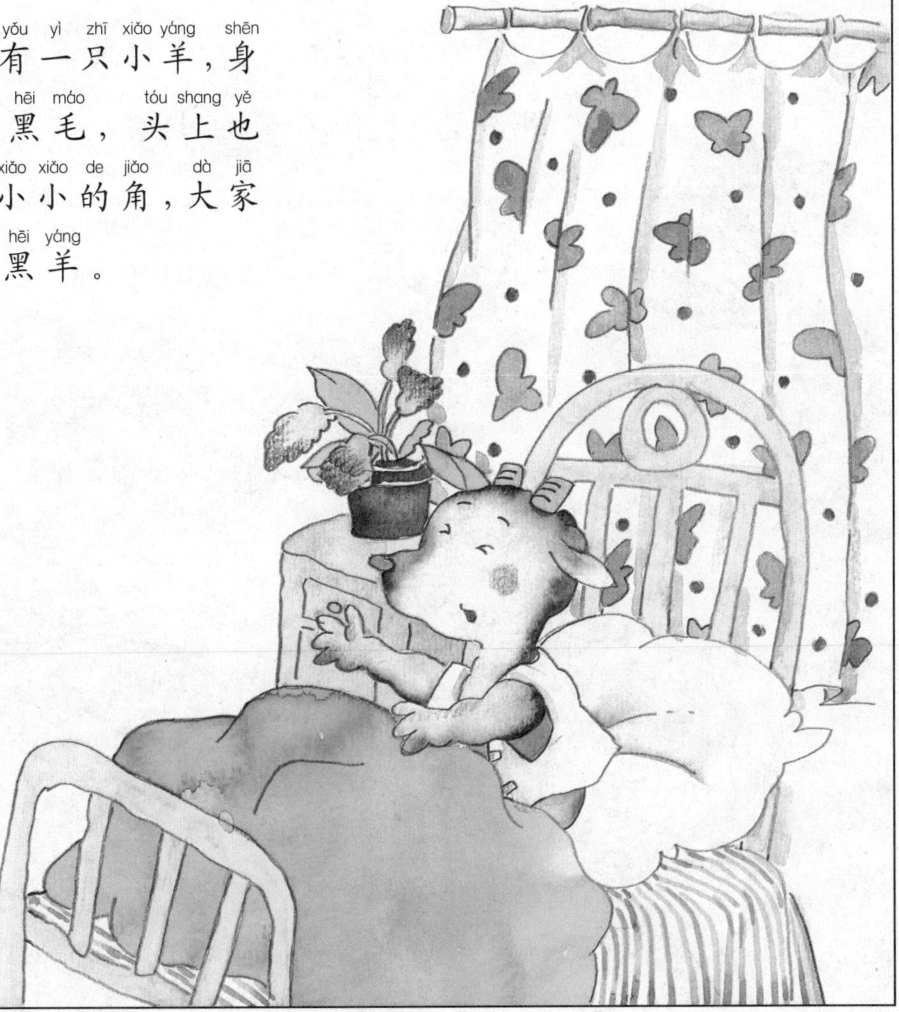

xiǎo bái yáng zhù zài dōng biān xiǎo hēi yáng zhù zài xī biān
小白羊住在东边，小黑羊住在西边，
zhōng jiān gé zhe yì tiáo shēn shēn de xiǎo hé
中间隔着一条深深的小河。

xiǎo hé shàngmian jià zhe yí zuò dú mù qiáo
小河上面，架着一座独木桥，
dú mù qiáo hěn zhǎi hěn zhǎi
独木桥很窄很窄。

yǒu yì tiān xiǎo bái yáng yì biān miē miē de
有一天，小白羊一边“咩咩”地
chàng zhe gē yì biān dā dā dā de zǒu shàng dú mù qiáo
唱着歌，一边嗒嗒嗒地走上独木桥，
tā yào dào hé xī qù kàn lǎo lao
它要到河西去看姥姥。

zhè shí hou xiǎo hēi yáng yě yì biān miē miē de chàng zhe gē yì biān dā

这时候，小黑羊也一边“咩咩”地唱着歌，一边嗒

dā dā de zǒu shàng dú mù qiáo tā yào dào hé dōng qù kàn yé ye

嗒嗒地走上独木桥，它要到河东去看爷爷。

zǒu dào hé zhōng jiān, tā men pèng tóu le. xiǎo bái yáng zǒu bú guò qù,
走到河中间，它们碰头了。小白羊走不过去，

xiǎo hēi yáng yě zǒu bú guò qù.
小黑羊也走不过去。

xiǎo bái yáng bǎ tóu yì tái duì xiǎo hēi yáng shuō tuì huí qù
小白羊把头一抬，对小黑羊说："退回去，
tuì huí qù kuài diǎn tuì huí qù shì wǒ xiān shàng de qiáo
退回去，快点退回去，是我先上的桥。"

xiǎo hēi yáng yě bǎ tóu yì tái
小黑羊也把头一抬
shuō wèi shén me ràng wǒ tuì huí qù
说："为什么让我退回去？
shì wǒ xiān shàng de qiáo
是我先上的桥。"

tā men yuè chǎo yuè xiōng shuí yě bù kěn ràng shuí
它们越吵越凶，谁也不肯让谁。
hòu lái xiǎo bái yáng yòng liǎng zhī jiǎo qù dǐng xiǎo hēi yáng
后来，小白羊用两只角去顶小黑羊。
xiǎo hēi yáng yě yòng liǎng zhī jiǎo qù dǐng xiǎo bái yáng
小黑羊也用两只角去顶小白羊。

zhǐ tīng dōng de yì shēng xiǎo bái
只听“咚”的一声，小白
yáng hé xiǎo hēi yáng de tóu zhuàng zài yì qǐ
羊和小黑羊的头撞在一起
le yòu tīng jiàn pū tōng liǎng shēng liǎng
了。又听见“扑通”两声，两
zhī xiǎo yáng dōu diào dào shuǐ li qù le
只小羊都掉到水里去了。

波波和汪汪

jingdiantonghuaxiliecongshu

经典童话系列丛书

xiǎo xióng bō bo hé xiǎo gǒu wāngwang shì lín jū yòu shì hǎo péng you
小熊波波和小狗汪汪是邻居，又是好朋友。

yǒu yì tiān tiān gāng liàng xiǎo xióng bō bo jiù máng kāi
有一天，天刚亮，小熊波波就忙开
le xiān chéng miàn fěn zài dǎ jī dàn tā xiǎng zuò yí gè
了。先盛面粉，再打鸡蛋，它想做一个
dà dàn gāo míng tiān sòng gěi wāng wang dāng shēng rì lǐ wù
大蛋糕，明天送给汪汪当生日礼物。

máng le dà bàn tiān bō bo lèi le shēn le shēn lǎn yāo
忙了大半天，波波累了，伸了伸懒腰，
dào chuángshang shuì jiào qù le
到床上睡觉去了。

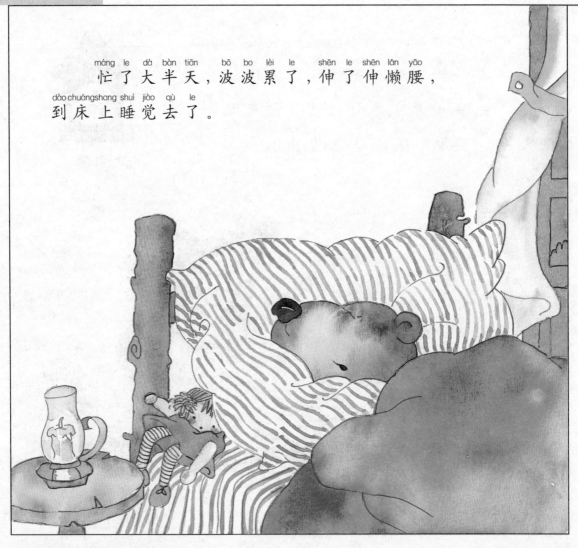

dì èr tiān zǎo
第二天早
chén wāng wang lái zhǎo
晨，汪汪来找
bō bo wán kàn bō
波波玩，看波
bo hái zài shuì jiào ne
波还在睡觉呢，
xiào xiào shuō zhè ge
笑笑说：“这个
lǎn bō bo qiáo wǒ
懒波波，瞧我
kāi tā gè wán xiào
开它个玩笑。”

wāngwang huí dào jiā
汪汪回到家

li līn lái yì xiǎo tǒng
里，拎来一小桶

mò zhī shǒu li ná le
墨汁，手里拿了

yì bǎ shuā zi
一把刷子。

tā bǎ bō bo de chuāng zi
它把波波的窗子
quán dōu tú hēi le, jiù wǔ zhe
全都涂黑了，就捂着
zuǐ xiào xī xī de liū zǒu le.
嘴笑嘻嘻地溜走了。

bō bo xǐng lái jué de tiān hái hēi zhe
波波醒来，觉得天还黑着
ne yí kàn biǎo diǎn bō bo shuō cái
呢，一看表，12点，波波说：“才
bàn yè ya jiù yòu qù shuì le
半夜呀！”就又去睡了。

děng tā zài yí cì xǐng lái dù zi è de gū gū jiào zěn me tiān
等它再一次醒来，肚子饿得咕咕叫。“怎么天
hái méi liàng ya tuī kāi chuāng zi
还没亮呀？”推开窗子
yí kàn xiǎo gǒu wāng wang zhèng yòng hēi
一看，小狗汪汪正用黑
zhuǎ zi wǔ zhe zuǐ xiào ne
爪子捂着嘴笑呢。

wāng wang shuō shǎ bō bo nǐ yǐ jīng shuì
汪汪说：“傻波波，你已经睡
le yí gè bái tiān liǎng gè yè wǎn le
了一个白天、两个夜晚了。”

波波坐在桌前说："噢，既然你的生日已经过了，这个蛋糕我就自己吃吧。"

wāng wang wàng zhe nà ge dà dàn gāo jué de zì jǐ cuò
汪汪望着那个大蛋糕，觉得自己错
le bù hǎo yì si de shuō bō bo wǒ yǐ hòu zài yě
了，不好意思地说：“波波，我以后再也
bù kāi zhè me guò fèn de wán xiào le
不开这么过分的玩笑了。

梅梅又变聪明了

méi mei zhǎng de piào liang bà ba mā ma ài tā yé ye nǎi nai téng tā
梅梅长得漂亮，爸爸妈妈爱她，爷爷奶奶疼她，
shū shu ā yí men yě dōu xǐ huan tā
叔叔阿姨们也都喜欢她。

méi mei zì jǐ yě jué de zì jǐ
梅梅自己也觉得自己

hěn piào liang suǒ yǐ tè bié ài dǎ ban
很漂亮，所以特别爱打扮。

yì yǒu kòng jiù bǎ huā qún zi zhǎo chū
一有空，就把花裙子找出

lái yí jiàn yí jiàn huàn zhe chuān
来，一件一件换着穿。

zài yòu ér yuán lǎo shī zhèng jiǎng
在幼儿园，老师正讲
suàn shù kè méi mei què dīng zhe wēi wei
算术课，梅梅却盯着薇薇
tóu shang de hú dié jié
头上的蝴蝶结，

lǎo shī qǐng méi mei huí dá wèn tí méi
老师请梅梅回答问题，梅
mei yě bù zhī dao shì zěn me huí shì
梅也不知道是怎么回事。

wǔ dǎo kè shang lǎo shī jiāo xiǎo péng
舞蹈课上，老师教小朋
you xué tiào xīn jiāng wǔ
友学跳新疆舞。

méi mei dān xīn dān xī guì dì de
梅梅担心单膝跪地的
dòng zuò huì bǎ tā de xīn qún zi nòng zāng
动作会把她的新裙子弄脏，
jiù duǒ dào yì biān qù le
就躲到一边去了。

xiǎo péng you men dōu xué huì le xiǎo gǔ dōng dōng
小朋友们都学会了。小鼓“咚咚”

de qiāo tiào de kě gāo xìng le zhǐ yǒu méi mei bú huì
地敲，跳得可高兴了。只有梅梅不会

tiào xiàng gè mù tou zhuāng zi yí yàng zhàn zài yì biān
跳，像个木头桩子一样站在一边。

xiǎo péng you men qí mù mǎ, pān jiǎo shǒu jià, gāo
小朋友们骑木马，攀脚手架，高

gāo xìng xìng de zuò yóu xì。 méi mei què bù gǎn, pà
高兴兴地做游戏。梅梅却不敢，怕

nòng pò tā de xīn shàng yī。
弄破她的新上衣。

shí jiān jiǔ le méi mei zǒng shì zhè yàng
时间久了，梅梅总是这样，
xiǎo péng you men dōu bù xǐ huan tā le jué de
小朋友们都不喜欢她了，觉得
tā yòu bèn yòu shǎ gēn tā zài yì qǐ wán yì
她又笨又傻，跟她在一起玩一
diǎn yì si dōu méi yǒu
点意思都没有。

méi mei tiān tiān duǒ zài yí gè jiǎo luò
梅梅天天躲在一个角落
li yǒu yì tiān tā shāng xīn de kū le
里，有一天，她伤心地哭了。

lǎo shī gào su méi
老师告诉梅
mei chuān yī fu bú yào tài
梅，穿衣服不要太
jiǎng jiū zhěng jié jiù xíng le
讲究，整洁就行了。
rén zhǐ yǒu wài biǎo piào liang
人，只有外表漂亮
shì bú gòu de gèng zhòng yào
是不够的，更重要
de shì yǒu běn lǐng
的是有本领。

cóng cǐ méi mei yòng xīn xué xí kuài lè de yóu
从此，梅梅用心学习，快乐地游

xì tā yòu biàn de cōng ming huó pō qǐ lái le
戏，她又变得聪明活泼起来了。

经典童话系列丛书

小兔乖乖

jingdiantonghuaxiliecongshu

tù mā ma yǒu sān gè hái zi
兔妈妈有三个孩子：
hóng yǎn jing duǎn wěi ba cháng ěr duo
红眼睛、短尾巴、长耳朵，
tù mā ma yào qù bá luó bo zhǔ fù
兔妈妈要去拔萝卜，嘱咐
hái zi bǎ mén guān hǎo chú le mā ma
孩子把门关好，除了妈妈，
shuí lái dōu bù néng kāi mén
谁来都不能开门。

tù mā ma bá luó
兔妈妈拔萝
bo huí lái le tā chàng
卜回来了，她唱
zhe xiǎo tù guāi guāi
着：“小兔乖乖，
bǎ mén kāi kāi mā ma huí
把门开开，妈妈回
lái kuài diǎn kāi kāi
来，快点开开。”
sān zhī xiǎo tù gāo xìng de
三只小兔高兴地
dǎ kāi le dà mén
打开了大门。

yì zhī dà huī láng tōu tīng dào le tù mā ma chàng
一只大灰狼，偷听到了兔妈妈唱
de gē dì èr tiān tù mā ma yòu chū mén qù cǎi mó
的歌。第二天，兔妈妈又出门去采蘑
gu dà huī láng kàn tù mā ma zǒu yuǎn le jiù lái dào le
菇，大灰狼看兔妈妈走远了，就来到了
tù zi jiā mén kǒu
兔子家门口。

tā qiāo qiāo mén yòu niē
它敲敲门，又捏
qǐ bí zi xué zhe tù mā ma
起鼻子学着兔妈妈
de shēng yīn chàng zhe xiǎo tù
的声音唱着：“小兔
guāi guāi bǎ mén kāi kāi mā
乖乖，把门开开，妈
ma huí lái kuài diǎn kāi kāi
妈回来，快点开开。”

hóng yǎn jing hé duǎn wěi ba yì tīng ō shì mā
红眼睛和短尾巴一听：“哦，是妈
ma huí lái le kuài kāi mén cháng ěr duo lán zhù shuō
妈回来了，快开门！”长耳朵拦住说：
bú duì wǒ tīng zhe bú xiàng mā ma de shēng yīn
“不对，我听着不像妈妈的声音。”

hóng yǎn jing cóng mén fèng li yí kàn xiǎo shēng shuō bú shì mā ma shì
红眼睛从门缝里一看，小声说：“不是妈妈，是
dà huī láng sān zhī xiǎo tù yì qǐ chàng qǐ lái bù kāi bù kāi bù néng kāi
大灰狼。”三只小兔一起唱起来：“不开不开不能开，
mā ma méi huí lái shuí yě bù néng kāi
妈妈没回来，谁也不能开。”

dà huī láng jí le wǒ shì nǐ men mā ma kuài kāi mén duǎn wěi
大灰狼急了："我是你们妈妈，快开门！"短尾
ba shuō nà nǐ bǎ wěi ba shēn jìn lái ràng wǒ men kàn kàn
巴说："那你把尾巴伸进来让我们看看。"

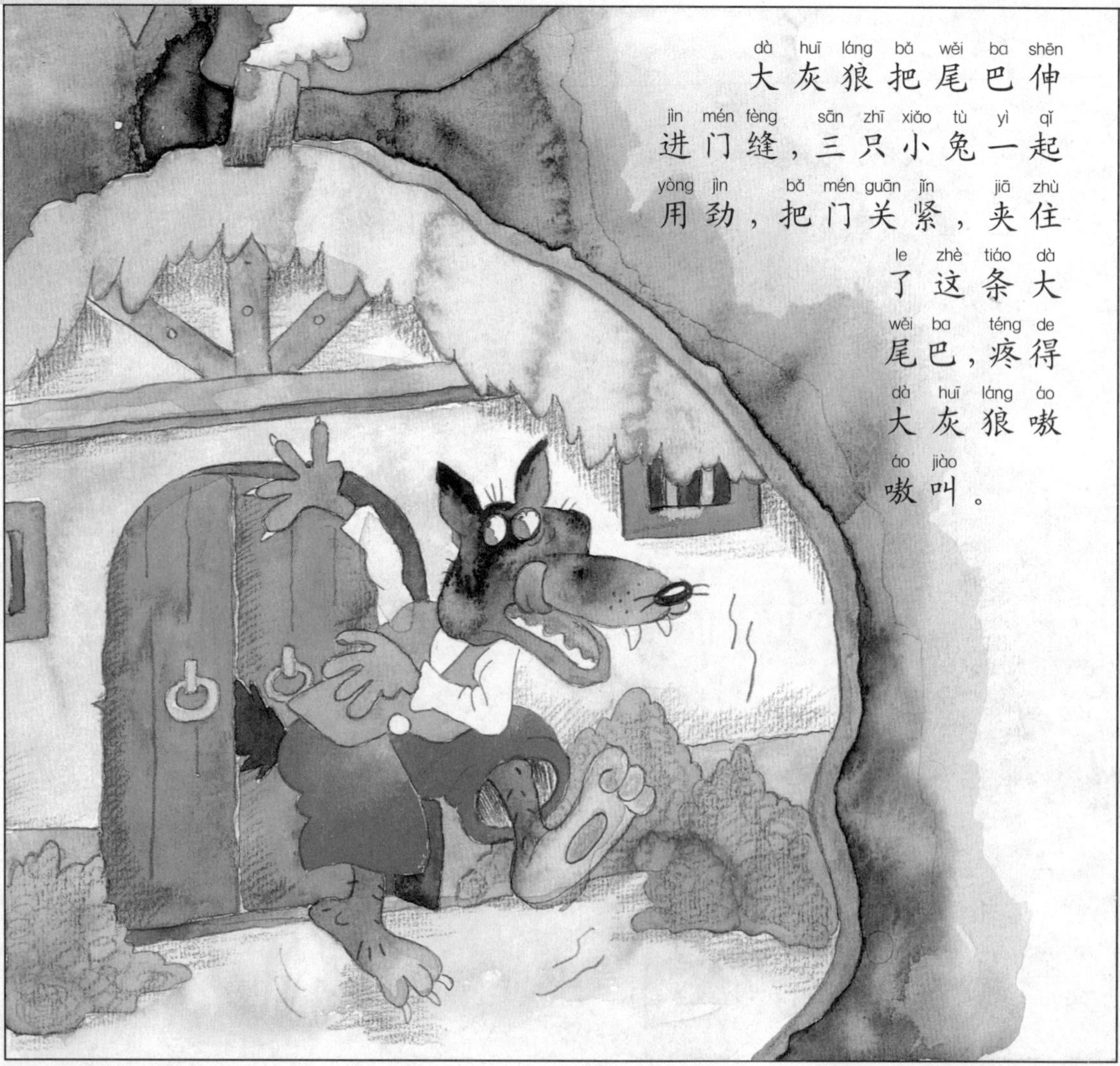

dà huī láng bǎ wěi ba shēn
大灰狼把尾巴伸
jìn mén fèng sān zhī xiǎo tù yì qǐ
进门缝，三只小兔一起
yòng jìn bǎ mén guān jǐn jiā zhù
用劲，把门关紧，夹住
le zhè tiáo dà
了这条大
wěi ba téng de
尾巴，疼得
dà huī láng áo
大灰狼嗷
áo jiào
嗷叫。

tù mā ma huí lái le kàn jiàn dà huī láng dūn zài zì jǐ jiā de mén kǒu
兔妈妈回来了，看见大灰狼蹲在自己家的门口，
jiǎn qǐ yì gēn dà bàng jiù cháo tā dǎ qù bǎ dà huī láng dǎ sǐ le
捡起一根大棒就朝它打去，把大灰狼打死了。

sān zhī xiǎo tù dǎ kāi mén pū xiàng mā ma tù mā ma kuā
三只小兔打开门，扑向妈妈，兔妈妈夸
hái zi men shì jì tīng huà yòu yǒng gǎn de hǎo hái zi
孩子们是既听话又勇敢的好孩子。